CW00556095

UN ÉTÉ
AVEC PROUST

Laura El Makki,
Antoine Compagnon, Raphaël Enthoven,
Michel Erman, Adrien Goetz,
Nicolas Grimaldi, Julia Kristeva,
Jérôme Prieur, Jean-Yves Tadié

UN ÉTÉ
AVEC PROUST

ÉQUATEURS

Sommaire

Présentation

« *Le malheur, c'est qu'il faut que les gens soient très malades ou se cassent une jambe pour avoir le temps de lire la* Recherche. » *Robert Proust, le frère de Marcel, n'avait pas tort. Il a cependant omis une troisième possibilité : les vacances d'été, cette saison chaude où il est si doux de lire au soleil, près de la mer ou, à la manière de Proust, dans le calme d'une chambre à soi. Soudain le temps ralentit, se dilate, s'évapore. Et plus rien n'existe hormis la* Recherche, *entre nos mains.*

Cet incroyable roman, qui a bouleversé le paysage littéraire, nous transporte un siècle en arrière, dans les salons parisiens de la Belle Époque, sur une plage de la côte normande ou sur la lagune de Venise. Il nous parle de l'existence, des soubresauts de la mémoire, de la subtilité des rapports humains, de l'ambiguïté du sentiment amoureux, des bienfaits de l'imagination, ou encore de la beauté des arts. Chacun peut y abriter ses songes, y reconnaître ses joies et ses peurs, et même y découvrir quelques vérités.

En écrivant À la recherche du temps perdu, *en lui dédiant les dernières années de sa vie, Marcel Proust sou-*

haitait que ses futurs lecteurs parviennent à « *lire en eux-
mêmes* ». Un été avec Proust *est, aussi, une invitation à
se connaître en profondeur. Il n'aspire pas à expliquer une
histoire. Il veut plutôt* éclaircr *les chemins de l'écriture,
afin de faire surgir des mots, des phrases ou des images
qui peuvent parler à tous, au novice comme à l'initié, aux
curieux et aux rêveurs.*

*Ce chemin, huit lecteurs ont accepté de le parcourir à
mes côtés. Ils sont romanciers, biographes, universitaires.
Ils ont tous consacré une partie de leur vie à l'étude de
Proust. L'été dernier, sur France Inter, ils ont chacun parlé
de « leur »* Recherche, *à travers un thème qui leur tenait
à cœur et une page qui les bouleversait. Aujourd'hui, ils
écrivent l'admiration qu'ils portent à ce chef-d'œuvre, et
réfléchissent aux questions qu'il sous-tend. Comment retenir le temps qui passe ? Pourquoi aimer fait-il souffrir ?
Peut-on vraiment connaître une personne ? Ils apportent
ici leurs réponses, et nous proposent, le temps d'un bel été
et d'une grande traversée, d'ouvrir nos yeux et de nous
laisser bercer par la rêverie proustienne.*

Laura El Makki.

Les introductions à chacun des textes qui suivent sont de Laura
El Makki. [N.d.É.]

I

Le temps

par

Antoine Compagnon

Portrait de lecteur

« La vraie vie, la vie enfin découverte et éclaircie, la seule vie par conséquent pleinement vécue, c'est la littérature. »

(*Le Temps retrouvé*.)

Le narrateur, parti « à la recherche du temps perdu », comprend à la toute fin du roman comment il peut le sauver: grâce à l'écriture. À la recherche du temps perdu *est donc, avant tout, l'histoire d'une vocation – celle du héros et, à travers elle, celle de son auteur, Marcel Proust, qui a consacré une grande partie de sa vie à la rédaction de ce livre, aussi beau qu'imparfait.*

★ ★ ★

Un matin, Marcel Proust, tout juste réveillé d'une courte nuit et encore allongé dans son lit, déclare à sa fidèle gouvernante, Céleste Albaret : « J'ai mis le mot "fin", je peux mourir maintenant. » Cette anecdote est rapportée en 1962 par celle qui fut aussi sa secrétaire, au cours d'une émission télévisée de Roger Stéphane, « Portrait souvenir », qui introduisit Proust au grand public. Cela date le moment où Proust, qui avait eu du mal à se faire publier, devint un écrivain à la portée des enfants du *baby boom*. Après avoir traversé un purgatoire dans les années 1930 et 1940, son œuvre est alors devenue accessible à tous, bientôt publiée en poche, et traduite dans de nombreuses langues. Aujourd'hui, elle est entrée dans le répertoire classique, et la *Recherche* s'est imposé comme un livre essentiel, alors même qu'il est – et c'est le plus grand éloge que je puisse faire – un peu monstrueux, *heureusement* raté.

Les choses parfaites passent de mode. Ce livre-là ne ressemble pas au roman d'analyse à la française, sur le modèle de *La Princesse de Clèves* et jusqu'à Paul Bourget. Et il a déconcerté, indéniablement. Peut-être ne faut-il donc pas trop en vouloir aux premiers éditeurs qui le refusèrent, avant que Proust ne le publiât chez Bernard Grasset à compte d'auteur, en payant cher. Proust leur avait livré un monstre de huit cents pages dactylographiées, truffé de feuilles manuscrites souvent illisibles, recopiées par ses domestiques, et il ajoutait qu'un ou deux autres volumes suivraient, pas encore prêts, mais traitant de choses scabreuses, et qui toucheraient à la pédérastie. De quoi décourager. Toutefois, quand le roman fut enfin publié, les premières critiques furent bonnes, ainsi que les ventes entre novembre 1913 et août 1914: environ trois mille exemplaires, ce qui était beaucoup pour l'époque et pour un livre difficile. La critique remarqua vite que le roman était nouveau, important. À l'étranger, on reconnut immédiatement le grand écrivain. Le *Times Literary Supplement* en rendit compte un mois après sa parution, de même qu'une revue italienne. En France, ce fut plus difficile, parce que la réputation de Proust le précédait, celle d'un auteur rive droite, plaine Monceau, alors que Gide était l'écrivain du jardin du Luxembourg. Proust avait publié *Les Plaisirs et les Jours* en 1896, avec une préface d'Anatole France et des aquarelles de Madeleine Lemaire, qui tenait un salon. Ces préjugés jouèrent et les éditeurs ne mesurèrent pas l'originalité de l'œuvre.

La *Recherche* fait partie de ces livres à jamais inclassables. C'est cela qui fait sa force, sa profondeur. On le relit dix ans après, les générations successives le relisent, et on y trouve chaque fois autre chose. L'œuvre n'aborde pas moins des questions éternelles : l'amour, la jalousie, l'ambition, le désir, la mémoire.

Pourtant, si le livre est très célèbre, rares sont ceux qui le lisent en entier. Il existe une loi qui n'a pas changé depuis le début : seule la moitié des acheteurs de *Du côté de chez Swann* se procurent le deuxième tome, *À l'ombre des jeunes filles en fleurs* ; et seule la moitié des acheteurs d'*À l'ombre des jeunes filles en fleurs* se procurent *Le Côté de Guermantes*, le troisième tome. Mais les lecteurs ne renoncent plus ensuite, à travers *Sodome et Gomorrhe*, *La Prisonnière*, *Albertine disparue* et *Le Temps retrouvé*. Proust n'est pas un auteur facile : ses phrases sont longues, ses soirées mondaines n'en finissent pas. Il fait peur.

Mais on a raison d'avoir peur des livres, parce que ceux-ci nous transforment. Quand on se lance dans un roman comme celui de Proust et qu'on le lit vraiment, qu'on va jusqu'au bout, on en sort autre.

J'ai lu la *Recherche* en 1968, à dix-huit ans, et je me souviens bien de mon étonnement dans « Combray », puis d'avoir aussitôt écrit une sorte de pastiche de Proust en racontant un souvenir d'enfance. Je suis allé de plus en plus vite dans les romans intermédiaires, m'habituant à la phrase de l'écrivain. J'y reviens sans cesse, mais *Albertine disparue* est aujourd'hui le volume auquel je retourne le plus souvent, car c'est le plus beau livre que je connaisse sur le deuil. La *Recherche* est un livre dans lequel chacun doit faire son propre chemin. Et une fois les trente premières pages passées, on commence à se sentir chez soi.

Au début d'*À l'ombre des jeunes filles en fleurs*, M. de Norpois – un homme du monde qui encouragera le jeune narrateur à embrasser une carrière littéraire – dîne chez les parents du héros. Et tandis que ce dernier pense « connaître » ce monsieur qui lui offre son aide, il découvrira, des années plus tard, cette grande loi de l'existence – qui est aussi celle de la *Recherche* – selon laquelle *on ne connaît jamais l'autre.*

« [...] en disant qu'il parlerait de moi à Gilberte et à sa mère (ce qui me permettrait, comme une divinité de l'Olympe qui a pris la fluidité d'un souffle ou plutôt l'aspect du vieillard dont Minerve emprunte les traits, de pénétrer moi-même, invisible, dans le salon de Mme Swann, d'attirer son attention, d'occuper sa pensée, d'exciter sa reconnaissance pour mon admiration, de lui apparaître comme l'ami d'un homme important, de lui sembler à l'avenir digne d'être invité par elle et d'entrer dans l'intimité de sa famille), cet homme important qui allait user en ma faveur du grand prestige qu'il devait avoir aux yeux de Mme Swann, m'inspira subitement une tendresse si grande que j'eus peine à me retenir de ne pas embrasser ses douces mains blanches et fripées, qui avaient l'air d'être restées trop longtemps dans l'eau. J'en ébauchai presque le geste que je me crus seul à avoir remarqué. Il est difficile en effet à chacun de nous de calculer exactement à quelle échelle ses paroles ou ses mouvements apparaissent à autrui; par peur de nous exagérer notre importance et en grandissant dans des proportions énormes le champ sur lequel sont obligés de s'étendre les souvenirs des autres au cours de leur vie, nous nous imaginons que les parties accessoires de notre discours, de nos attitudes, pénètrent à peine dans la conscience, à plus forte raison ne demeurent pas dans la mémoire de ceux avec qui nous causons. C'est d'ailleurs à une supposition de ce genre qu'obéissent les criminels quand ils retouchent après coup un mot qu'ils ont dit et duquel ils pensent qu'on ne pourra confronter cette variante à aucune autre version. Mais il est bien possible que, même en ce qui concerne la vie millénaire de l'humanité, la philosophie du feuilletoniste selon laquelle tout est promis à l'oubli soit moins vraie qu'une philosophie contraire qui prédirait la conservation de toutes choses. Dans le même journal où le moraliste du "Premier Paris" nous dit d'un événement, d'un chef-d'œuvre, à plus forte raison d'une chanteuse qui eut "son heure de célébrité": "Qui se souviendra de tout cela dans dix ans?", à la troisième page, le compte rendu de l'Académie des inscriptions ne parle-t-il pas souvent d'un fait par lui-même moins important, d'un poème de peu de valeur, qui date de l'époque des Pharaons et qu'on connaît encore intégralement? Peut-être n'en est-il pas tout à fait de même pour la courte vie humaine. Pourtant quelques années plus tard, dans une maison où M. de Norpois, qui s'y trouvait en visite, me semblait le plus solide appui que j'y puisse rencontrer, parce qu'il était ami de mon père, indulgent, porté à nous vouloir du bien à tous, d'ailleurs habitué par sa profession et ses origines à la discrétion, quand, une fois l'ambassadeur parti, on me raconta qu'il avait fait allusion à une soirée d'autrefois dans laquelle il avait « vu le moment où j'allais lui baiser les mains », je ne rougis pas seulement jusqu'aux oreilles, je fus stupéfait d'apprendre qu'étaient si différentes de ce que j'aurais cru, non seulement la façon dont M. de Norpois parlait de moi, mais encore la composition de ses souvenirs. Ce « potin » m'éclaira sur les proportions inattendues de distraction et de présence d'esprit, de mémoire et d'oubli dont est fait l'esprit humain; et je fus aussi merveilleusement surpris que le jour où je lus pour la première fois, dans un livre de Maspero, qu'on savait exactement la liste des chasseurs qu'Assourbanipal invitait à ses battues, dix siècles avant Jésus-Christ[1]. »

1. Marcel Proust, *À la recherche du temps perdu*, Paris, Gallimard, coll. « Quarto », texte établi sous la direction de Jean-Yves Tadié, 1999, p. 382-383.

2

Le temps long

« Longtemps, je me suis couché de bonne heure. »

(*Du côté de chez Swann.*)

*C'est la première phrase d'*À la recherche du temps perdu *dont le premier mot, et même la première syllabe, résument l'idée que la plupart des gens se font du livre. La* Recherche *est en effet un roman « long », près de trois mille pages... Mais cette longueur était nécessaire à Proust qui souhaitait montrer comment le temps passe sur nos vies, comment il nous transforme, et comment nous pouvons malgré tout le retenir.*

★ ★ ★

« Il y a des œuvres courtes qui paraissent longues. La longue œuvre de Proust me paraît courte. » C'est en ces termes que Jean Cocteau évoquait la *Recherche*. Comme tous les vrais lecteurs de Proust, il est de ceux qui, arrivés à la fin, reprennent au début. Parce que ce livre leur donne l'envie de ne pas en sortir. Cela dit, Proust n'avait pas prévu d'écrire un si long livre. Lorsqu'il prend contact avec des éditeurs, en

1909 puis en 1912, il prévoit un ou deux volumes : *Le Temps perdu* et *Le Temps retrouvé*, de trois cents pages chacun, puis cinq cents. Quand il donne le manuscrit de *Du côté de chez Swann*, il en est à sept cents pages chacun, mille cinq cents pages en tout. Or la guerre interrompt la publication. Et quand *À l'ombre des jeunes filles en fleurs* est imprimé en 1918, le livre a pris les proportions qu'on lui connaît. Ce n'est pas seulement la faute de Proust : la guerre – qui lui a donné le temps de grossir son roman – est en partie responsable.

Proust a écrit son œuvre très vite une fois qu'il s'y est vraiment mis. Ces trois mille pages ont été rédigées en peu d'années. Il s'est lancé en 1909 et, en 1912, il avait un gros roman à peu près au point. Le livre est construit autour d'une idée inventée en 1908 : la distinction du moi mondain et du moi créateur, de la mémoire volontaire et involontaire. Juste avant « Le Bal de têtes », la partie que Proust appelle « L'Adoration perpétuelle » est la révélation du ressort de l'art dans la sensation. Le livre se bâtit sur une idée, mais ce n'est pas un livre dogmatique ou un roman à thèse, car la théorie proustienne de la mémoire est profondément enfouie, voilée jusqu'au bout, et d'ailleurs débordée par le mouvement même de l'écriture.

Proust procède par l'amplification : il rédige des fragments autonomes sans savoir où il les mettra, puis il monte des *scenarii*. À chaque étape, Proust « nourrit », « surnourrit » son œuvre, comme disait

Roland Barthes. Sur les épreuves – pour la partie publiée de son vivant – il ajoute encore de longs développements. S'il avait vécu plus longtemps, le livre ne ferait pas trois mille pages mais quatre mille ! *La Prisonnière, Albertine disparue* et *Le Temps retrouvé* auraient encore été augmentés… C'est le livre d'une vie, puisque Proust commença à l'écrire quand il avait vingt ans. *Jean Santeuil* – son premier ouvrage qu'il laissa inachevé et qui ne fut publié qu'après sa mort –, c'est déjà la *Recherche du temps perdu*. Proust ne pouvait écrire qu'un seul livre.

La longue phrase de Proust est très particulière. C'est une phrase à rallonges, faite d'incidentes et de parenthèses. Comme celle de Montaigne, des participes présent la relancent plus souvent que des subordonnées. On l'associe souvent à la phrase familière de la lettre ou des Mémoires de l'âge classique. Mais il sait aussi écrire des phrases courtes. Certaines relèvent de la tradition, elle aussi classique, de l'épigramme ou de la sentence. La *Recherche* contient des maximes touchant à de nombreux sujets. La première phrase, « Longtemps, je me suis couché de bonne heure », est un coup de génie pour ouvrir le livre, mais Proust a peiné pour la trouver. Elle est apparue tardivement, à la main dans une dactylographie, après de nombreux essais et repentirs. Sur les épreuves, Proust l'a encore barrée pour tenter d'autres débuts, avant de la remettre. On peut faire deux hypothèses : soit il n'en était pas content et il l'a acceptée faute de mieux, sans conviction ; soit cette

phrase lui a paru tellement audacieuse par sa bana-
lité même qu'il a longtemps résisté à en faire son
entrée en matière. Je penche pour la seconde hypo-
thèse. Portique intrigant pour ouvrir un livre sur le
temps, la mémoire, l'insomnie, elle marque tout de
suite le contraste avec un temps où le narrateur dormait bien.

Cette première phrase ne doit pas être séparée du
premier paragraphe. Elle met en scène un héros qui
ne dort plus et qui, durant ses insomnies, se rappelle
le temps où il dormait, où il lui arrivait de se réveiller
en pleine nuit et de se rappeler alors son enfance. Par
une double détente, le héros insomniaque se souvient d'un temps intermédiaire où il se souvenait de
son enfance. C'est ainsi qu'on entre dans le récit des
chambres de sa vie : à Paris, à la campagne de Combray, à Balbec, au bord de la mer. Le kaléidoscope de
la mémoire est enclenché et le lecteur est embarqué,
même s'il ne comprend pas encore vers où.

Dans *Le Temps retrouvé*, le narrateur revient à
Paris après des années d'absence durant la guerre
en raison de sa maladie. Invité chez la princesse de
Guermantes, il est témoin du vieillissement de tous
ceux qu'il a connus. La longueur du temps trouve
enfin son terme dans ce « Bal de têtes » aussi pathé-
tique que jubilatoire, au cours duquel le héros, qui
vient d'avoir la révélation de son art littéraire, a le
sentiment de sa propre supériorité sur les autres.

C'est lui qui parlera d'eux, qui les sauvera de l'oubli, et qui élèvera un monument aux morts.

« Au premier moment je ne compris pas pourquoi j'hésitais à reconnaître le maître de maison, les invités, et pourquoi chacun semblait s'être "fait une tête", généralement poudrée et qui les changeait complètement. Le prince avait encore en recevant cet air bonhomme d'un roi de féerie que je lui avais trouvé la première fois, mais cette fois, semblant s'être soumis lui-même à l'étiquette qu'il avait imposée à ses invités, il s'était affublé d'une barbe blanche et, traînant à ses pieds qu'elles alourdissaient comme des semelles de plomb, semblait avoir assumé de figurer un des "âges de la vie". Ses moustaches étaient blanches aussi, comme s'il restait après elles le gel de la forêt du Petit Poucet. Elles semblaient incommoder la bouche raidie et, l'effet une fois produit, il aurait dû les enlever. À vrai dire je ne le reconnus qu'à l'aide d'un raisonnement et en concluant de la simple ressemblance de certains traits à une identité de la personne. Je ne sais ce que le petit Fezensac avait mis sur sa figure, mais tandis que d'autres avaient blanchi, qui la moitié de leur barbe, qui leurs moustaches seulement, lui, sans s'embarrasser de ces teintures, avait trouvé le moyen de couvrir sa figure de rides, ses sourcils de poils hérissés, tout cela d'ailleurs ne lui seyait pas, son visage faisait l'effet d'être durci, bronzé, solennisé, cela le vieillissait tellement qu'on n'aurait plus dit du tout un jeune homme. Je fus bien plus étonné au même moment en entendant appeler duc de Châtellerault un petit vieillard aux moustaches argentées d'ambassadeur, dans lequel seul un petit bout de regard resté le même me permit de reconnaître le jeune homme que j'avais rencontré une fois en visite chez Mme de Villeparisis. À la première personne que je parvins ainsi à identifier, en tâchant de faire abstraction du travestissement et de compléter les traits restés naturels par un effort de mémoire, ma première pensée eût dû être, et fut peut-être bien moins d'une seconde, de la féliciter d'être si merveilleusement grimée qu'on avait d'abord, avant de la reconnaître, cette hésitation que les grands acteurs, paraissant dans un rôle où ils sont différents d'eux-mêmes, donnent, en entrant en scène, au public qui, même averti par le programme, reste un instant ébahi avant d'éclater en applaudissements.

» À ce point de vue, le plus extraordinaire de tous était mon ennemi personnel, M. d'Argencourt, le véritable clou de la matinée. Non seulement, au lieu de sa barbe à peine poivre et sel, il s'était affublé d'une extraordinaire barbe d'une invraisemblable blancheur, mais encore (tant de petits changements matériels peuvent rapetisser, élargir un personnage, et bien plus, changer son caractère apparent, sa personnalité) c'était un vieux mendiant qui n'inspirait plus aucun respect qu'était devenu cet homme dont la solennité, la raideur empesée étaient encore présentes à mon souvenir et qui donnait à son personnage de vieux gâteux une telle vérité que ses membres tremblotaient, que les traits détendus de sa figure, habituellement hautaine, ne cessaient de sourire avec une niaise béatitude. Poussé à ce degré, l'art du déguisement devient quelque chose de plus, une transformation complète de la personnalité. En effet, quelques riens avaient beau me certifier que c'était bien Argencourt qui donnait ce spectacle inénarrable et pittoresque, combien d'états successifs d'un visage ne me fallait-il pas traverser si je voulais retrouver celui de l'Argencourt que j'avais connu, et qui était tellement différent de lui-même, tout en n'ayant à sa disposition que son propre corps ! C'était évidemment la dernière extrémité où il avait pu le conduire, sans en crever, le plus fier visage, le torse le plus cambré n'était plus qu'une loque en bouillie, agitée de-ci de-là. À peine, en se rappelant certains sourires d'Argencourt qui jadis tempéraient parfois un instant sa hauteur pouvait-on trouver dans l'Argencourt vrai celui que j'avais vu si souvent, pouvait-on comprendre que la possibilité de ce sourire de vieux marchand d'habits ramolli existât dans le gentleman correct d'autrefois. Mais à supposer que ce fût la même intention de sourire qu'eût Argencourt, à cause de la prodigieuse transformation de son visage, la matière même de l'œil par laquelle il l'exprimait, était tellement différente, que l'expression devenait tout autre et même d'un autre. J'eus un fou rire devant ce sublime gaga, aussi émollié dans sa bénévole caricature de lui-même que l'était, dans la manière tragique, M. de Charlus foudroyé et poli[1]. »

---

1. *Ibid.*, p. 2304-2305.

3

Le temps labyrinthique

> « Tout est affaire de chronologie. »
>
> (*Le Temps retrouvé.*)

Le narrateur d'À la recherche du temps perdu ne manque pas d'audace. Car de chronologie, il y en a peu dans ce livre. Seules l'affaire Dreyfus et la Première Guerre mondiale situent le récit dans l'Histoire. Marcel Proust ne donne pas plus d'indices, parvenant à montrer que le temps passe sans même clairement désigner ce temps.

★ ★ ★

Proust, qui prétend que les événements historiques comptent moins pour l'art qu'un chant d'oiseau, n'écrivit pas un roman réaliste. Mais lorsque les lecteurs de 1913 découvrirent son livre, ils l'assimilèrent à un roman contemporain. Lorsque nous le lisons aujourd'hui, nous rapprochons sa chronologie de la vie de Proust. Nous faisons comme si *Swann* se passait dans les années 1880-1890. Puis on avance jusqu'à la guerre de 1914. L'intrigue suit à peu près la chronologie de la vie de Proust. Certains personnages ne vieillissent pas, comme Françoise, la domestique, déjà grand-mère dans *Swann* et qui aurait un âge canonique dans *Le Temps retrouvé*.

Proust souhaitait retranscrire la « substance invisible du temps ». Et il y parvient, puisque dans le roman, il y a peu de dates, peu de repères, mais des juxtapositions d'expériences, de souvenirs et d'époques. Cependant, le roman n'est pas si désordonné que cela. Dans les premières pages de *Swann*, le narrateur annonce qu'il explorera les chambres du souvenir dans l'ordre où sa mémoire les lui présentera, donc dans le désordre. Mais l'ordre chronologique sera suivi à peu près fidèlement, puisque la suite de « Combray » porte sur l'enfance, *À l'ombre des jeunes filles en fleurs* sur l'adolescence, puis que le narrateur devient adulte avec Albertine. Le vieillissement du héros est le fil conducteur du roman, non l'ordre aléatoire des chambres. À l'exception d'« Un amour de Swann », puisque, après « Combray », nous revenons à une époque antérieure à la naissance du héros, celle de l'amour de Swann et d'Odette, dont la fille, Gilberte, sera la contemporaine du héros. Cet amour est relaté à la troisième personne, de manière plus conventionnelle que le reste du roman, moins déconcertante pour les lecteurs de 1913 comme pour ceux d'aujourd'hui. « Combray » nous parle de la mémoire du héros, de son corps, de ses sensations. C'est un livre contemporain de Freud. Il a trouvé ses lecteurs, au cours du xxe siècle, parallèlement à l'œuvre de Freud, en nous parlant d'enfance et de sexualité. Des scènes d'onanisme comme celles qu'on lit dès les premières pages de « Combray » ne sont pas courantes dans les romans de l'époque, ni même dans ceux d'aujourd'hui.

Comme ce temps multiple, le narrateur est lui-même multiple. On le rencontre enfant, on le quitte adulte. Le « moi » a différentes strates. Dans son entretien de 1913 au *Temps*, Proust citait Bergson, le philosophe à la mode. Il se réclamait de lui tout en marquant ses distances. Son livre pouvait faire songer à Bergson, disait-il, même s'il avait fait autre chose. Chez Bergson, comme chez Proust ou Freud, la pluralité du « moi » est centrale. Le roman de Proust n'est pas un roman à thèse, mais Proust a une idée fixe : le « moi » est divisé, incohérent, écartelé entre le moi social et le moi profond, avec lequel l'écrivain produit son œuvre. Et ces deux « moi » sont eux-mêmes faits de couches « intermittentes ».

Pour parler de son livre, Proust fait deux comparaisons : la cathédrale et la robe. L'une est noble, celle du monument auquel Proust est attaché depuis ses traductions de Ruskin ; l'autre, plus artisanale, apparente l'écriture à un travail manuel. Proust écrit dans des cahiers ; il est entouré de la mémoire de ses cahiers ; au lit, au milieu d'eux, il sait exactement où chaque esquisse se trouve, et la retrouve comme un artisan. Proust amplifie. Dans ses cahiers, il écrit d'abord sur les seuls rectos, réservant les versos pour des additions. Puis, quand il manque de place sur les versos, il déborde dans les marges. Et quand les marges sont pleines, il recourt, dès ses premiers cahiers, à des collages. Il gribouille sur n'importe quel bout de papier, le colle là où il faut. Dans les dactylographies et les épreuves, d'immenses paperoles se déplient en accordéon et s'étendent sur plus d'un mètre. Les manuscrits de Proust sont de beaux objets qui illustrent la nature de la création littéraire. Celle-ci exige un immense travail, ensuite dissimulé. On a d'abord cru que Proust, étant un mondain, écrivait comme il parlait. Non, pas du tout. Quand des brouillons ont été publiés dans les années 1950, on a compris que Proust avait été un bourreau de travail.

Tout au long du livre, le narrateur s'amuse du temps, en défie les lois, et donne l'impression d'une certaine confusion du roman. Mais derrière ce désordre apparent se cache un véritable patron de robe… L'écriture, selon Proust, est bel et bien une affaire de couture.

« […] changeant à chaque instant de comparaison selon que je me représentais mieux et plus matériellement la besogne à laquelle je me livrerais, je pensais que sur ma grande table de bois blanc, je travaillerais à mon œuvre, regardé par Françoise. Comme tous les êtres sans prétention qui vivent à côté de nous ont une certaine intuition de nos tâches et comme j'avais assez oublié Albertine pour avoir pardonné à Françoise ce qu'elle avait pu faire contre elle, je travaillerais auprès d'elle et presque comme elle (du moins comme elle

faisait autrefois : si vieille maintenant, elle n'y voyait
plus goutte) car, épinglant de-ci de-là un feuillet sup-
plémentaire, je bâtirais mon livre, je n'ose pas dire
ambitieusement comme une cathédrale, mais tout
simplement comme une robe. Quand je n'aurais pas
auprès de moi tous mes papiers, toutes mes paperoles,
comme disait Françoise, et que me manquerait juste
celui dont j'aurais eu besoin, Françoise comprendrait
bien mon énervement, elle qui disait toujours qu'elle
ne pouvait pas coudre si elle n'avait pas le numéro du
fil et les boutons qu'il fallait… »

4

Le temps perdu

« Le souvenir d'une certaine image n'est
que le regret d'un certain instant. »

(*Du côté de chez Swann.*)

Le premier tome de la Recherche *se clôt sur une phrase
pleine de nostalgie. Le narrateur adulte, qui a raconté son
enfance à Combray avant de revenir sur les amours de
Swann, se rend au bois de Boulogne et constate que le temps
a passé. Dans l'allée des Acacias, les femmes jadis admirées
ont vieilli. « Les maisons, les routes, les avenues, sont fugitives, hélas, comme les années. » Avant d'être le roman de la
réappropriation par l'homme de son passé,* À la recherche
du temps perdu *est donc, comme son titre l'indique, un
livre sur la perte et la conscience de la perte.*

* * *

À la fin de « Noms de pays : le nom » – la troisième
partie de *Du côté de chez Swann* –, le narrateur
semble mélancolique, résigné au « temps perdu »,
mais Proust dit dans ses lettres : « Attention, cette
conclusion est provisoire. À ce moment-là, je n'ai
pas encore compris comment retrouver le temps. »
Son livre est très composé, malgré l'apparence d'une

écriture au fil de la plume qui a trompé certains lecteurs ; il est fait de préparations et de rétrospections. À la fin de *Swann*, on peut avoir l'illusion que les regrets du temps passé l'emporteront, mais, si l'on est un bon lecteur, attentif aux indices – de tels lecteurs ont existé avant *Le Temps retrouvé* –, on devine qu'une autre leçon triomphera. On peut s'en douter dès l'épisode de la madeleine.

Cet épisode annonce une révélation, la grande découverte du narrateur : la mémoire involontaire. Le héros est envahi par un immense bonheur après une expérience banale, que nous avons tous faite : une sensation imprévue nous donne brusquement le sentiment de nous retrouver dans le passé. Qui n'a pas éprouvé qu'une odeur, un bruit, lui rappelait un temps oublié ? Proust parle de « mémoire involontaire ». Si rien n'existe plus pour l'intelligence, tout survit dans une mémoire enfouie, mais seule une rencontre fortuite peut faire revenir à la vie les souvenirs. La réminiscence involontaire est aléatoire. Cette mémoire est spontanée et ambivalente. Proust en parle comme d'« une pharmacie où l'on trouve des drogues calmantes, mais aussi des poisons dangereux ». Elle peut envahir de bonheur, mais aussi accabler de douleur. La sonate de Vinteuil en est un bel exemple dans « Un amour de Swann » : elle a été l'air national de l'amour de Swann pour Odette, et elle lui signifie la fin de son amour quand il l'entend à l'improviste, au cours d'une réception chez Mme de Saint-Euverte.

Proust nous dit qu'il y a des pertes irrémédiables, des pertes que l'on ne mesure pas sur le moment. Une page de *Sodome et Gomorrhe* s'attarde sur cette expérience, lorsque le narrateur adolescent est foudroyé par la compréhension, après coup, de la mort : « le calendrier des faits ne coïncide pas avec celui des sentiments », dit-il encore. Le hasard d'une sensation, la bottine qu'il retire, est indispensable pour qu'il apprenne qu'il ne reverra jamais plus sa grand-mère. La *Recherche* est un monument aux morts qui nous entourent. Le roman leur donne voix, les commémore. La mémoire involontaire provoque un sentiment compliqué de perte et de résurrection à la fois.

Il y a un vertige du temps. Quoi que l'on fasse, il est plus fort que nous, mais la *Recherche* le domine puisque, dans *Le Temps retrouvé*, le narrateur découvre le moyen de faire de cette mémoire involontaire le ressort de la littérature. Entre le premier volume – *Du côté de chez Swann* – et le dernier – *Le Temps retrouvé* – a lieu une résolution.

Proust disait que la fin avait été écrite aussitôt après le début, mais il exagérait un peu, parce que ce n'était pas la même fin qu'il avait à l'esprit au début, non pas la matinée chez la princesse de Guermantes, « L'Adoration perpétuelle » et « Le Bal de têtes », mais une conversation avec sa mère sur Sainte-Beuve, sur la distinction du moi créateur et du moi mondain prouvée par la réminiscence.

Le Temps retrouvé contredira la fin de *Du côté de*

chez Swann. Cela soulève un problème de construction : si la fin de *Du côté de chez Swann* a été écrite par le narrateur du *Temps retrouvé*, il sait déjà que la littérature sauve le temps perdu et il ne devrait plus se désoler. On apprend à la fin de la *Recherche* le secret de la création, mais, si on a bien lu les volumes précédents, on a compris depuis un moment. Proust amplifie en général son livre, mais il le réduit parfois, et il a supprimé plusieurs annonces trop pédagogiques du dénouement qui rappelaient la madeleine en cours de route, avant « L'Adoration perpétuelle ». Le « suffisant lecteur » n'a pas besoin de ces jalons, il a déjà perçu le rôle rédempteur de la littérature, qui rachète la vie et la mort. En ce sens, la *Recherche* est un livre heureux. C'est un livre qui finit bien.

Le moment le plus douloureux du livre, ce sont « Les Intermittences du cœur », dans *Sodome et Gomorrhe* : le héros arrive à Balbec et le premier soir, en se déchaussant, il est soudain habité par le ressouvenir de sa grand-mère, morte depuis un an sans qu'il en ait encore vraiment pris conscience.

« Bouleversement de toute ma personne. Dès la première nuit, comme je souffrais d'une crise de fatigue cardiaque, tâchant de dompter ma souffrance, je me baissai avec lenteur et prudence pour me déchausser. Mais à peine eus-je touché le premier bouton de ma bottine, ma poitrine s'enfla, remplie d'une présence inconnue, divine, des sanglots me secouèrent, des

larmes ruisselèrent de mes yeux. L'être qui venait à
mon secours, qui me sauvait de la sécheresse de l'âme,
c'était celui qui, plusieurs années auparavant, dans
un moment de détresse et de solitude identiques,
dans un moment où je n'avais plus rien de moi, était
entré, et qui m'avait rendu à moi-même, car il était
moi et plus que moi (le contenant qui est plus que
le contenu et me l'apportait). Je venais d'apercevoir,
dans ma mémoire, penché sur ma fatigue, le visage
tendre, préoccupé et déçu de ma grand-mère, telle
qu'elle avait été ce premier soir d'arrivée ; le visage de
ma grand-mère, non pas de celle que je m'étais étonné
et reproché de si peu regretter et qui n'avait d'elle que
le nom, mais de ma grand-mère véritable dont, pour la
première fois depuis les Champs-Élysées où elle avait
eu son attaque, je retrouvais dans un souvenir involontaire et complet la réalité vivante. Cette réalité n'existe
pas pour nous tant qu'elle n'a pas été recréée par notre
pensée (sans cela les hommes qui ont été mêlés à un
combat gigantesque seraient tous de grands poètes
épiques) ; et ainsi, dans un désir fou de me précipi-
ter dans ses bras, ce n'était qu'à l'instant – plus d'une
année après son enterrement, à cause de cet anachro-
nisme qui empêche si souvent le calendrier des faits
de coïncider avec celui des sentiments – que je venais
d'apprendre qu'elle était morte. J'avais souvent parlé
d'elle depuis ce moment-là et aussi pensé à elle, mais
sous mes paroles et mes pensées de jeune homme
ingrat, égoïste et cruel, il n'y avait jamais rien eu qui
ressemblât à ma grand-mère, parce que, dans ma légè-
reté, mon amour du plaisir, mon accoutumance à la
voir malade, je ne contenais en moi qu'à l'état virtuel
le souvenir de ce qu'elle avait été.

» À n'importe quel moment que nous la considérions, notre âme totale n'a qu'une valeur presque fictive, malgré le nombreux bilan de ses richesses, car tantôt les unes, tantôt les autres sont indisponibles, qu'il s'agisse d'ailleurs de richesses effectives aussi bien que de celles de l'imagination, et pour moi par exemple, tout autant que de l'ancien nom de Guermantes, de celles combien plus graves, du souvenir vrai de ma grand-mère. Car aux troubles de la mémoire sont liées les intermittences du cœur[1]. »

---

1. *Ibid.*, p. 1326-1327.

5

Le temps retrouvé

« On se souvient d'une atmosphère parce que des jeunes filles y ont souri. »

(*La Prisonnière.*)

Il y a une beauté du souvenir chez Proust, une beauté qui surprend car elle surgit à l'improviste, autant pour le narrateur que pour le lecteur. La réminiscence involontaire, si elle est parfois douloureuse, peut être aussi pleinement heureuse. C'est une madeleine trempée dans du thé, un pavé mal équarri, le bruit d'une cuiller, ou la raideur d'une serviette qui révèlent des instants de la vie passée.

* * *

Les premières pages de « Combray » mettent le corps au premier plan. Elles décrivent les sensations du héros se réveillant dans une chambre inconnue. C'est une expérience que nous connaissons tous : au réveil je ne sais pas où ni qui je suis. Chaque matin, nous nous retrouvons et nous habitons de nouveau notre corps, mais durant un instant notre identité flotte. Ce trouble du réveil est le même que celui qu'on éprouve en entrant dans un roman. On ne sait pas où on est, puis, peu à peu, on se reconnaît. Ce discours sur le corps, le corps masculin, était nouveau. La mémoire involontaire, c'est donc la mémoire du corps, par opposition à celle de l'intelligence. La *Recherche* fait le procès de l'intelligence, lui oppose l'intuition. Avec la madeleine, le héros a l'intuition d'une autre réalité, puisque la sensation lui apporte l'extase. Nous aurons l'explication des milliers de pages plus loin, mais nous savons déjà que le bonheur de la réminiscence passe par le corps.

Quelque chose échappe donc à la destruction totale de notre être et de notre corps : ces bribes d'existence qui donnent au narrateur la sensation du bonheur. Deux temps s'entrechoquent. La collision du présent et du passé fait que le héros se retrouve dans un temps qui n'est ni le présent ni le passé, mais une sorte d'essence de la temporalité. Ce choc n'est-il pas déjà celui de la « beauté convulsive » des surréalistes, ou encore celui auquel rêvait Baudelaire en donnant pour mission à la modernité d'extraire la beauté éternelle de la beauté fugitive ? Rien de plus éphémère que le goût d'une madeleine, mais il donne accès à l'éternité. Proust y fonde la métaphore comme ressort de son écriture : d'abord le choc, ensuite la synthèse, « les anneaux nécessaires du beau style ». Proust est un romantique, peut-être le dernier.

Après la *Recherche* comme roman de la déception, de la perte, vient la promesse d'un futur moins douloureux. *Le Temps retrouvé* semble conduire au rachat du passé dans l'avènement du temps à l'état pur, dans l'affranchissement de l'ordre du temps. Le narrateur est enfin libéré du temps, il est « hors du temps », mais aussitôt après, dans « Le Bal de têtes », il retombe dans le temps devant tous ces masques affectés par l'âge, malades, vieillis, proches de la mort. Seul le narrateur, ou plutôt, seule la littérature pourra s'affranchir du temps. Cette conception très élevée de la littérature, métaphysique, transcendante, se rattache au XIXᵉ siècle. La *Recherche* est le dernier grand roman messianique du XIXᵉ siècle et il se conclut par l'espérance.

Cette pensée du temps n'est pourtant pas le tout de la *Recherche*, qui est aussi un roman romanesque, souvent comique, et non un roman philosophique. Le livre se fonde sur une théorie de la mémoire, mais, si on le lit et se passionne pour lui, c'est parce qu'il est un grand roman romanesque. Au début, lorsque Proust se mit à son roman en 1908, il consigna une réflexion émouvante dans son carnet. Il se demanda si, de son idée du temps et de la mémoire, il devait faire un roman ou un essai philosophique : « Suis-je romancier ? » écrit-il alors avec angoisse. Le prodige, c'est que son livre n'appartient à aucun genre. C'est un roman, avec des personnages qui évoluent, certains très épais, comme Charlus, Swann, la grand-mère, Albertine, tous mémorables, et en même temps c'est un livre qui donne à penser, sur la vie, la mort, l'amour, le temps, l'âge, la mémoire, et aussi sur la politique, la stratégie, le potin… C'est un livre grave, mais un livre où on rit beaucoup.

Dans *Le Temps retrouvé*, le narrateur qui traverse la cour de l'hôtel de Guermantes bute sur des pavés inégaux qui lui rappellent les dalles de la place Saint-Marc à Venise. Voici la réflexion qui suit cette réminiscence :

« Tant de fois, au cours de ma vie, la réalité m'avait déçu parce qu'au moment où je la percevais mon imagination, qui était mon seul organe pour jouir de la beauté, ne pouvait s'appliquer à elle, en vertu de la loi inévitable qui veut qu'on ne puisse imaginer que ce qui est absent. Et voici que soudain l'effet de cette dure loi s'était trouvé neutralisé, suspendu, par un expédient merveilleux de la nature, qui avait fait miroiter une sensation – bruit de la fourchette et du marteau, même titre de livre, etc. – à la fois dans le passé, ce qui permettait à mon imagination de la goûter, et dans le présent où l'ébranlement effectif de mes sens par le bruit, le contact du linge, etc. avait ajouté aux rêves de l'imagination ce dont ils sont habituellement dépourvus, l'idée d'existence – et grâce à ce subterfuge avait permis à mon être d'obtenir, d'isoler, d'immobiliser – la durée d'un éclair – ce qu'il n'appréhende jamais : un peu de temps à l'état pur. L'être qui était rené en moi quand, avec un tel frémissement de bonheur, j'avais entendu le bruit commun à la fois à la cuiller qui touche l'assiette et au marteau qui frappe sur la roue, à l'inégalité pour les pas des pavés de la cour Guermantes et du baptistère de Saint-Marc, etc., cet être-là ne se nourrit que de l'essence des choses, en elle seulement il trouve sa subsistance, ses délices. Il languit dans l'observation du présent où les sens ne peuvent la lui apporter, dans la considération d'un passé que l'intelligence lui dessèche, dans l'attente d'un avenir que la volonté construit avec des fragments du présent et du passé auxquels elle retire encore de leur réalité en ne conservant d'eux que ce qui convient à la fin utilitaire, étroitement humaine, qu'elle leur assigne. Mais qu'un bruit, qu'une odeur, déjà entendu ou respirée jadis, le soient de nouveau, à la fois dans le présent et dans le passé, réels sans être actuels, idéaux sans être abstraits, aussitôt l'essence permanente et habituellement cachée des choses se trouve libérée, et notre vrai moi qui, parfois depuis longtemps, semblait mort, mais ne l'était pas entièrement, s'éveille, s'anime en recevant la céleste nourriture qui lui est apportée. Une minute affranchie de l'ordre du temps a recréé en nous pour la sentir l'homme affranchi de l'ordre du temps. Et celui-là, on comprend qu'il soit confiant dans sa joie, même si le simple goût d'une madeleine ne semble pas contenir logiquement les raisons de cette joie, on comprend que le mot de "mort" n'ait pas de sens pour lui ; situé hors du temps, que pourrait-il craindre de l'avenir [1] ? »

---

1. *Ibid.*, p. 2266-2267.

II

Les personnages

par

Jean-Yves Tadié

I

Portrait de lecteur

« En fermant un beau roman, même triste, nous nous sentons [...] heureux. »

(« Le pouvoir du romancier », dans *Nouveaux mélanges*.)

Les plus belles choses dites sur les livres, nous les devons non seulement à de grands écrivains mais surtout à des lecteurs insatiables, comme Marcel Proust qui a lu et pastiché ses auteurs favoris. Seul le romancier peut, selon lui, « nous affranchir » de nous-mêmes et nous permettre, le temps d'un « beau roman », de vivre différentes vies à travers celles, imaginées, des personnages. Et la Recherche *en compte près de cinq cents...*

★ ★ ★

André Maurois parlait d'*À la recherche du temps perdu* comme d'une œuvre qui « a la simplicité et la majesté d'une cathédrale ». C'était le souhait de Marcel Proust. Et sa réussite fut non seulement d'écrire un grand livre mais aussi de parvenir, dans le même temps, à révolutionner la littérature. Il a lui-même employé cette image de la cathédrale, et avait même écrit à un de ses amis qu'un temps, il avait envisagé d'intituler ses parties « Porche », ou encore « Vitraux de l'abside ». Donc ce livre n'est pas un grand monologue improvisé, ni une confession : il s'agit d'abord et avant tout – comme toutes les grandes œuvres d'art – d'une construction. Le lecteur y trouve à la fois une intrigue, avec un sujet qui court du début jusqu'à la fin, mais aussi un ensemble, une véritable structure. En ce sens, ce roman est profondément unique car nous pouvons, justement, l'apprécier d'un seul coup d'œil.

J'ai découvert Proust à l'âge de seize ans. C'est donc vers lui que je me suis naturellement tourné lorsqu'il m'a fallu choisir un sujet de mémoire de recherche, puis, plus tard, de thèse. Un professeur à la Sorbonne, Octave Nadal, m'a conseillé d'aller rencontrer André Maurois, le biographe de Proust qui était à l'époque le seul à pouvoir me dire si je pouvais me consacrer à ce travail. J'y suis donc allé tout tremblant, j'ai pénétré dans un immeuble très imposant du boulevard Maurice-Barrès, et puis un vieux monsieur m'a accueilli avec une voix très douce. Nous avons discuté et il m'a encouragé dans mon projet. J'ai ensuite interrogé Jean Paulhan, qui dirigeait à l'époque *La Nouvelle Revue française*, et je lui ai demandé : « Est-ce que vous ne trouvez pas qu'il y a trop de choses sur Proust ? », et il m'avait répondu dans un sourire : « Il le mérite, non ? » Alors, je me suis lancé.

Beaucoup de choses m'ont intéressé et continuent de me passionner dans ce livre que je ne cesse de lire. Mais j'ai une affection toute particulière pour les personnages de cette histoire. On réduit trop souvent la *Recherche* à la vie et à la voix du narrateur qui résonnent parfois étrangement avec celles de son auteur. Mais il ne faut pas être dupe de cet écho, et il faut penser qu'il y a un immense système de personnages – des femmes, des hommes, des enfants, des vieillards, des domestiques, de grands seigneurs, des hommes politiques, des guerriers… Toute la société, *les* sociétés, y sont représentées. Il y a aussi un personnage très important, abstrait, fuyant – le temps – qui apparaît telle une divinité s'incarnant dans les êtres humains. Penser donc à Proust en croyant qu'il écrit une sorte de confession, c'est se tromper complètement. Il a d'abord voulu être romancier et donc construire une œuvre coupée de la réalité. Il n'y a pas de reflet de lui-même à travers ces pages, mais un approfondissement de soi et des autres. Aucun réalisme ici, mais une réinvention de soi sous les traits d'un narrateur.

L'influence de Balzac et de sa *Comédie humaine* est évidente, mais aussi toute relative. Proust pensait, comme beaucoup d'autres, qu'on ne peut se former qu'en imitant d'abord des maîtres. C'est donc par un travail acharné sur ce qu'ont fait les plus grands dans une école qui est une école intime, que l'on peut apprendre son métier. Ainsi, Proust a appris son métier d'abord chez Balzac, puis chez Flaubert pour la phrase et le style, chez Stendhal pour certains moments d'extase devant un paysage, et enfin du côté des Anglais, notamment chez George Eliot et

Thomas Hardy. Son grand maître demeure incontestablement Balzac. Il connaît tout de son œuvre, et il s'amuse d'ailleurs à le citer dans la *Recherche*. Cependant, il n'est pas un modèle. Proust veut absolument faire autre chose. Il le dit à propos des rapports entre le peintre qu'il imagine – Elstir – et Chardin – grand maître d'Elstir – en précisant qu'on ne peut refaire ce qu'on aime qu'en le renonçant. C'est une sorte de dialectique : on est d'abord balzacien, puis on est anti-balzacien pour pouvoir être soi-même.

La dernière page du *Temps retrouvé* est l'une de mes favorites. Elle semble contenir le livre entier, et nous ramener à ce tout premier mot qui apparaissait trois mille pages plus tôt : « longtemps ». Le cercle est bouclé et confirme Proust comme le grand romancier du temps qui parvient, plus que tout autre, à nous renvoyer *au sens* du temps.

« J'éprouvais un sentiment de fatigue et d'effroi à sentir que tout ce temps si long non seulement avait, sans une interruption, été vécu, pensé, sécrété par moi, qu'il était ma vie, qu'il était moi-même, mais encore que j'avais à toute minute à le maintenir attaché à moi, qu'il me supportait, moi, juché à son sommet vertigineux, que je ne pouvais me mouvoir sans le déplacer comme je le pouvais avec lui. La date à laquelle j'entendais le bruit de la sonnette du jardin de Combray, si distant et pourtant intérieur, était un point de repère dans cette dimension énorme que je ne me savais pas avoir. J'avais le vertige de voir au-dessous de moi, en moi pourtant, comme si j'avais des lieues de hauteur, tant d'années.

» Je venais de comprendre pourquoi le duc de Guermantes, dont j'avais admiré en le regardant assis sur une chaise, combien il avait peu vieilli bien qu'il eût tellement plus d'années que moi au-dessous de lui, dès qu'il s'était levé et avait voulu se tenir debout, avait vacillé sur des jambes flageolantes comme celles de ces vieux archevêques sur lesquels il n'y a de solide que leur croix métallique et vers lesquels s'empressent des jeunes séminaristes gaillards, et ne s'était avancé qu'en tremblant comme une feuille, sur le sommet peu praticable de quatre-vingt-trois années, comme si les hommes étaient juchés sur de vivantes échasses, grandissant sans cesse, parfois plus hautes que des clochers, finissant par leur rendre la marche difficile et périlleuse, et d'où tout d'un coup ils tombaient. (Était-ce pour cela que la figure des hommes d'un certain âge était, aux yeux du plus ignorant, si impossible à confondre avec celle d'un jeune homme et n'apparaissait qu'à travers le sérieux d'une espèce de nuage?) Je m'effrayais que les miennes fussent déjà si hautes sous mes pas, il ne me semblait pas que j'aurais encore la force de maintenir longtemps attaché à moi ce passé qui descendait déjà si loin. Aussi, si elle m'était laissée assez longtemps pour accomplir mon œuvre, ne manque-rais-je pas d'abord d'y décrire les hommes, cela dût-il les faire ressembler à des êtres monstrueux, comme occupant une place si considérable, à côté de celle si restreinte qui leur est réservée dans l'espace, une place au contraire prolongée sans mesure puisqu'ils touchent simultanément, comme des géants plongés

dans les années à des époques, vécues par eux si dis-
tantes, entre lesquelles tant de jours sont venus se
placer – dans le Temps [1]. »

---

1. Marcel Proust, *À la recherche du temps perdu*, Paris, Gallimard,
coll. « Quarto », texte établi sous la direction de Jean-Yves Tadié,
1999, p. 2401.

2

La figure maternelle

« Il n'y a peut-être pas de jours de notre enfance que nous ayons si pleinement vécus que ceux que nous avons cru laisser sans les vivre, ceux que nous avons passés avec un livre préféré. »

(Sur la lecture.)

Les souvenirs de lectures enfantines sont précieux pour le romancier qui prend soin de les reconstituer dans Du côté de chez Swann. *Le narrateur se remémore ainsi ses jeunes années lorsqu'il lisait dans le jardin de sa tante Léonie, ou dans sa chambre à Combray. Sa mère est la première à l'initier aux plaisirs des mots, en lui faisant découvrir avant qu'il ne s'endorme les incontournables romans de George Sand ; tandis que sa grand-mère lui achète les livres, et les choisit amoureusement. Ces deux femmes, qui se complètent et se confondent tout au long de la* Recherche, *occupe donc un rôle primordial dans la vocation du narrateur – comme dans celle de Marcel Proust.*

* * *

Certains ont dit que *À la recherche du temps perdu* était une immense lettre adressée par Marcel Proust à sa mère. Et en effet, dans un premier projet, tout commence et tout finit par une conversation entre l'écrivain et sa mère… D'autres pensent, au contraire, que c'est la mort de sa mère qui a libéré Proust, lequel, si elle avait toujours vécu, n'aurait jamais pu écrire son livre. Finalement, l'écrivain résout le problème par la création romanesque, et il le résout doublement car il ne construit pas un seul personnage mais deux très différents et totalement re-imaginés : la mère et la grand-mère. Cette double figure maternelle est l'une des grandes originalités de ce roman.

Les premières pages de *Du côté de chez Swann* sont d'abord consacrées à la mère. La détresse du narrateur tient en une scène essentielle, fondatrice : lorsqu'il attend désespérément dans son lit que sa mère, occupée à recevoir Charles Swann, vienne lui dire « bonne nuit ». Cette séparation inimaginable, profondément douloureuse, fait se coïncider la fiction et la réalité, et renvoie le romancier au rapport qu'il entretenait avec sa propre mère, Jeanne Proust. N'avait-il pas répondu, au célèbre questionnaire qu'on lui a soumis, que le plus « grand malheur » pour lui « serait d'être séparé de maman » ?

Ainsi, ce passage inaugural est à la fois très heureux – puisque sa mère vient finalement l'embrasser et dort même avec lui – mais aussi déceptif – car son père et sa mère ont cédé à son caprice. Le narrateur, au lieu de s'étendre sur sa joie et son soulagement, parle alors d'« abdication », rendant responsables ses parents de tous ses malheurs à venir.

Si, dans le roman, la mère a plutôt une fonction d'autorité – c'est elle qui va contribuer à briser l'amour entre le narrateur et Gilberte, mais qui va également le rappeler périodiquement aux exigences de la santé, puis critiquer, beaucoup plus tard, la liaison du héros avec Albertine –, la grand-mère quant à elle assume une fonction de tendresse, de compréhension et d'indulgence parfois excessive à l'égard de son petit-fils. Elle se prête à tous ses caprices, lui autorise tout, l'aide en tout, allant jusqu'à lui arranger ses lacets de souliers lorsqu'il est, si on l'en croit, trop fatigué pour se baisser et les renouer. À travers leur relation prend forme un amour qui n'exige rien, un amour très beau, presque évangélique.

Cet amour total – qui est presque une réincarnation du complexe d'Œdipe –, le narrateur – et derrière lui, Proust – n'en guérira jamais, surtout lorsque, bien plus tard, la grand-mère tombe malade et meurt. Dans la scène dite des « Intermittences du cœur » – au cœur de *Sodome et Gomorrhe* –, le narrateur va alors découvrir, par un phénomène de mémoire involontaire, qu'il a véritablement perdu sa grand-mère et que rien ne la fera revenir. Et c'est au moment où il comprend qu'il l'a perdue à jamais qu'elle apparaît comme un fantôme, vivante, devant lui. C'est une des plus belles scènes du roman.

Ce qui est intéressant, c'est que Proust a trouvé un domaine où sa mère ne mourrait jamais, car il l'immortalise à la fois à travers la grand-mère – qui meurt mais qui reste immortelle – et dans le personnage de la mère, qui ne connaît pas la mort dans le roman. Cette dernière disparaît, elle s'évanouit quelque part, mais elle est tout de même peut-être là, derrière la page. On voit ainsi comment la littérature est une revanche sur le destin. Si la mort est notre destin, la littérature c'est le lieu où on ne meurt pas.

Dans *Le Côté de Guermantes*, le narrateur rend visite à son ami Saint-Loup qui se trouve à Doncières. Un soir, il discute avec sa grand-mère au téléphone. Elle l'encourage à ne pas se presser de rentrer, et à profiter de son séjour. Mais soudain, le narrateur prend conscience à travers l'appareil de la distance qui les sépare… Proust nous donne ainsi à lire, à travers ce beau passage qu'il a écrit trois fois – dans une lettre à sa mère, dans *Jean Santeuil*, puis dans *Le Côté de Guermantes* – l'essence même de l'amour.

« Ma grand-mère, en me disant de rester, me donna un besoin anxieux et fou de revenir. Cette liberté qu'elle me laissait désormais, et à laquelle je n'avais jamais entrevu qu'elle pût consentir, me parut tout d'un coup aussi triste que pourrait être ma liberté après sa mort (quand je l'aimerais encore et qu'elle aurait à jamais renoncé à moi). Je criais : "Grand-mère, grand-mère", et j'aurais voulu l'embrasser ; mais je n'avais près de moi que cette voix, fantôme aussi impalpable que celui qui reviendrait peut-être me visiter quand ma grand-mère serait morte. "Parle-moi" ; mais alors il arriva que, me laissant plus seul encore, je cessai tout d'un coup de percevoir cette voix. Ma grand-mère ne m'entendait plus, elle n'était plus en communication avec moi, nous avions cessé d'être en face l'un de l'autre, d'être l'un pour l'autre audibles, je continuais à l'interpeller en tâtonnant dans la nuit, sentant que des appels d'elle aussi devaient s'égarer. Je palpitais de la même angoisse que, bien loin dans le passé, j'avais éprouvée autrefois, un jour que petit enfant, dans une foule, je l'avais perdue, angoisse moins de ne pas la retrouver que de sentir qu'elle me cherchait, de sentir qu'elle se disait que je la cherchais ; angoisse assez semblable à celle que j'éprouverais le jour où on parle à ceux qui ne peuvent plus répondre et de qui on voudrait au moins tant faire entendre tout ce qu'on ne leur a pas dit, et l'assurance qu'on ne souffre pas. Il me semblait que c'était déjà une ombre chérie que je venais de laisser se perdre parmi les ombres, et seul devant l'appareil, je continuais à répéter en vain : "Grand-mère, grand-mère", comme Orphée, resté seul, répète le nom de la morte [1]. »

---

1. *Ibid.*, p. 849-850.

Charles Swann

« Que de bonheurs possibles dont on sacri-
fie ainsi la réalisation à l'impatience d'un
plaisir immédiat! »

(Du côté de chez Swann.)

*C'est un leitmotiv dans l'existence de Charles Swann : la
joie semble souvent le contourner, le frôler, sans qu'il puisse
jamais l'atteindre. Il y a toujours une inquiétude qui vient
tout gâcher, un soupçon ou un doute qui le privent d'un
bonheur certain. Et cet ami du narrateur, amoureux jaloux,
amateur d'art et artiste manqué, demeure aujourd'hui le
personnage le plus célèbre du roman de Proust.*

* * *

Tous les contemporains de Marcel Proust cher-
chaient à savoir s'il y avait des « clés » dans la
Recherche. Mais Proust jugeait cette lecture extraor-
dinairement superficielle même si lui-même, person-
nellement, l'avait pratiquée chez d'autres : cela pouvait nuire, selon lui, au goût qu'on aurait pu avoir
pour l'art du roman. Il a donc nié s'être inspiré de
modèles tout en avouant néanmoins, vers la fin de

son roman, que derrière Charles Swann se cachait une personne réelle : Charles Haas. Aujourd'hui presque totalement oublié, Haas était un juif de la haute bourgeoisie, une personnalité importante des milieux financiers. Riche et cultivé, cet inspecteur général des Beaux-Arts écrivait aussi des articles et des livres, et avait gagné la réputation de grand collectionneur. Pour créer Swann, Proust a donc réduit le personnage de Haas et l'a privé d'un certain nombre de ces traits dominants, notamment parce que Swann est un écrivain manqué. Il prépare toujours une biographie de Vermeer qu'il n'achève jamais. Ainsi, Proust dresse en Swann la figure même qu'il craignait d'être, celui de l'auteur qui n'arrive pas à écrire, qui n'arrive pas à finir son œuvre. Et il en va de même pour l'amour. Swann a été amoureux bien des fois, il a eu bien des conquêtes, mais il a eu un amour principal – qui fait l'objet du centre de *Du côté de chez Swann* – pour Odette de Crécy, une cocotte dont il dira à la fin qu'elle n'était pas « son genre ». Proust met en lui ses propres souffrances. La jalousie de Swann pour Odette, par exemple, est exactement celle de Proust à l'égard du compositeur Reynaldo Hahn. D'autre part, il lui prête une forme d'esprit, d'humour, similaire à la sienne : Swann est donc, comme Proust, un personnage ironique, amusant, charmeur, qui plaît beaucoup aux lecteurs, alors qu'en réalité ce n'est pas un personnage d'une grande profondeur. Humainement, c'est plutôt un raté, quelqu'un qui n'a rien fait de son existence, qui n'a fait qu'aller chez son tailleur, dîner à son club, se tromper et être trompé.

Si Swann est le personnage le plus populaire du roman, à aucun moment Proust n'en offre une description physique complète. En cela, Proust réagit contre Balzac. Il pense qu'on ne peut avoir d'un être que des instantanés, et que les visages peuvent être différents d'un jour à l'autre. Ainsi, le point de vue sur les êtres change constamment. C'est pourquoi il ne fait jamais de portrait en pied, comme le pratique au contraire l'auteur de *La Comédie humaine* qui s'applique à donner la couleur des yeux, la forme du nez, du menton, la démarche... Proust refuse cela. De Swann, le lecteur n'aura que des fragments, qu'un aperçu de ses cheveux vaguement bouclés, blond-roux, de son nez aquilin, de sa silhouette grande et mince... Ce procédé permet l'identification du lecteur au personnage.

Charles Swann est aussi et surtout celui qui aime la sonate de Vinteuil. Il a un rapport très particulier à la musique, un lien sentimental qui n'est pas la manière d'aimer la véritable musique selon Proust. Dans *Les Plaisirs et les Jours*, il expliquait déjà que la musique vraie est celle où on ne peut pas entrer, dans laquelle on ne peut noyer ses sentiments. Swann a donc une mauvaise lecture de la sonate de Vinteuil. Il y a quelque chose qu'on pourrait rapprocher de la philosophie de Hegel dans le roman proustien, c'est qu'il y a des étapes dans la conquête du savoir. Et nous sommes à la première étape, celle où c'est très bien de s'intéresser à l'art, mais si c'est pour voir dans Botticelli les traits de la femme qu'on aime et mettre dans la musique de Vinteuil simplement des sentiments amoureux, c'est qu'on n'est pas vraiment artiste, qu'on ne comprend pas vraiment ce qu'est l'art.

Enfin, Charles Swann est comme l'ombre du narrateur. Il va vivre avant lui les souffrances de l'amour. Un critique a dit qu'il était comme Jean-Baptiste par rapport au Christ. Swann annonce au narrateur à la fois les souffrances de l'amour, et la grandeur de l'art, mais il ne se montre finalement à la hauteur ni de l'un ni de l'autre. Contrairement à lui, le narrateur va écrire son livre.

Swann est un amoureux malheureux. Dans *Du côté de chez Swann*, il se trouve chez la marquise de Saint-Euverte, au milieu d'une foule de mondains, et il écoute la très belle sonate de Vinteuil. Il connaît cette musique puisqu'elle est associée à son amour pour Odette. Mais en l'entendant de nouveau, il prend conscience de la possible vacuité de son amour pour elle.

« À ce moment-là, il satisfaisait une curiosité voluptueuse en connaissant les plaisirs des gens qui vivent par l'amour. Il avait cru qu'il pourrait s'en tenir là, qu'il ne serait pas obligé d'en apprendre les douleurs ; comme maintenant le charme d'Odette lui était peu de chose auprès de cette formidable terreur qui

le prolongeait comme un trouble halo, cette immense
angoisse de ne pas savoir à tous moments ce qu'elle
avait fait, de ne pas la posséder partout et toujours!
Hélas, il se rappela l'accent dont elle s'était écriée:
"Mais je pourrai toujours vous voir, je suis toujours
libre!" elle qui ne l'était plus jamais! l'intérêt, la
curiosité qu'elle avait eus pour sa vie à lui, le désir
passionné qu'il lui fît la faveur – redoutée au contraire
par lui en ce temps-là comme une cause d'ennuyeux
dérangements – de l'y laisser pénétrer; comme elle
avait été obligée de le prier pour qu'il se laissât mener
chez les Verdurin; et quand il la faisait venir chez lui
une fois par mois, comme il avait fallu, avant qu'il se
laissât fléchir, qu'elle lui répétât le délice que serait
cette habitude de se voir tous les jours dont elle rêvait
alors qu'elle ne lui semblait à lui qu'un fastidieux
tracas, puis qu'elle avait prise en dégoût et définitivement rompue, pendant qu'elle était devenue pour lui
un si invincible et si douloureux besoin. Il ne savait
pas dire si vrai quand, à la troisième fois qu'il l'avait
vue, comme elle lui répétait: "Mais pourquoi ne me
laissez-vous pas venir plus souvent?", il lui avait dit en
riant, avec galanterie: "Par peur de souffrir". Maintenant, hélas! il arrivait encore parfois qu'elle lui écri-
vît d'un restaurant ou d'un hôtel sur du papier qui
en portait le nom imprimé; mais c'était comme des
lettres de feu qui le brûlaient. "C'est écrit de l'hôtel
Vouillemont? Qu'y peut-elle être allée faire? Avec
qui? Que s'y est-il passé?" Il se rappela les becs de
gaz qu'on éteignait boulevard des Italiens quand il
l'avait rencontrée contre tout espoir parmi les ombres
errantes dans cette nuit qui lui avait semblé presque
surnaturelle et qui en effet – nuit d'un temps où il
n'avait même pas à se demander s'il ne la contrarierait

pas en la cherchant, en la retrouvant, tant il était sûr qu'elle n'avait pas de plus grande joie que de le voir et de rentrer avec lui – appartenait bien à un monde mystérieux où on ne peut jamais revenir quand les portes s'en sont refermées. Et Swann aperçut, immobile en face de ce bonheur revécu, un malheureux qui lui fit pitié parce qu'il ne le reconnut pas tout de suite, si bien qu'il dut baisser les yeux pour qu'on ne vît pas qu'ils étaient pleins de larmes. C'était lui-même [1]. »

---

1. *Ibid.*, p. 278.

4

Le baron de Charlus

> « L'important dans la vie n'est pas ce qu'on
> aime, […] c'est d'aimer. »
>
> (*À l'ombre des jeunes filles en fleurs.*)

*Les réflexions sur le bonheur d'aimer sont trop rares chez
Proust pour ne pas les citer. Celle-ci nous est livrée par
le baron de Charlus qui vient à peine de faire son entrée
dans le roman, et qui séduit déjà le narrateur avec cette
élégante maxime inspirée de La Bruyère… Mais s'il peut
être charmeur, Charlus n'en est pas moins un personnage
inquiétant : son regard hypnotique déstabilise, sa culture littéraire impressionne, mais surtout ses habitudes sexuelles
interrogent… C'est d'ailleurs à travers lui que Marcel
Proust entame sa réflexion autour de Sodome, et de ceux
qu'il nomme « les invertis » – les homosexuels.*

★ ★ ★

D'abord, il y a les yeux : intelligents, profonds, parfois fuyants, mais aussi chargés de violence – violence du désir et de la quête. Proust, expert en création de regards, le décrit assez drôlement comme un
personnage regardant constamment sur les côtés, à
droite et à gauche, comme s'il voulait s'assurer que

personne ne l'espionne, ou que la police n'est pas en train d'arriver.

Puis il y a le titre, l'étiquette aristocratique. Charlus est un Guermantes, il a pour frère le duc de Guermantes, pour tante Mme de Villeparisis, et pour neveu Robert de Saint-Loup. Palamède – son prénom de naissance – est souvent effacé au profit de « Mémé », ou de « Taquin le Superbe ». C'est un personnage public qui est de toutes les réceptions, de tous les salons, et de toutes les soirées. Il possède cette majesté de corps et d'esprit qui fascine son entourage autant qu'elle effraie le lecteur. Je me souviens d'André Maurois me parlant de ce personnage, et me disant que « tout bon romancier est créateur de monstres. Balzac a créé Vautrin. Dostoïevski a créé Stavroguine, et Proust a créé Charlus. » Mais heureusement, ce dernier est un monstre sympathique qui se démarque des autres par son relief étrange et par la complexité de ses traits.

C'est un homme plein de culture, un musicien et un peintre qui se pose comme protecteur des jeunes gens. Il apprécie particulièrement le narrateur, dont il est évidemment amoureux. Dès le début du roman, il le dévisage avec des « yeux exorbités ». On comprend rétrospectivement qu'il s'agit d'une expression du désir sexuel, d'un fantasme très gidien du mentor et du jeune disciple. C'est l'amour grec, celui d'un homme d'âge mûr qui forme un éphèbe aux réalités de la culture et de la vie.

Ce qui intéresse particulièrement le narrateur –

et Proust –, c'est le jeu entre l'apparence et la profondeur, l'apparence et la réalité. Charlus est un homme ultra-viril extérieurement, mais c'est une femme à l'intérieur. Cette duplicité est passionnante à décrire pour un artiste et pour un romancier fasciné par la quête de l'essence. L'essence de l'homosexualité, selon Proust, c'est finalement le « mythe de l'hermaphrodite » : ces êtres qui ont été séparés, dès la haute antiquité, en deux moitiés, et ces deux moitiés cherchent à se rejoindre. Charlus figure ces deux moitiés.

Charlus, autrefois marié puis veuf inconsolable, aime secrètement les hommes, et il permet à Marcel Proust d'aborder le thème de « l'inversion », autrement dit de l'homosexualité. Mettant en scène ses amours tumultueuses avec le jeune Morel et avec le giletier Jupien, le romancier parvient à écrire cet admirable manifeste qui s'intitule *Sodome et Gomorrhe*. Le choix de ces deux termes fait référence à un épisode biblique : « Sodome » et « Gomorrhe » sont deux cités antiques qui ont été détruites par le feu et dont les habitants homosexuels ont été punis de mort. Le quatrième tome de la *Recherche* est donc celui dans lequel le romancier montre comment les homosexuels ont toujours été une minorité persécutée. Ce texte héroïque – dont Proust craignait qu'il ne soit refusé par les éditeurs – contient également l'une des plus longues phrases du roman, une phrase bouleversante sur ces hommes qui sont obligés de se cacher pour vivre, et qui n'osent même pas avouer à leurs proches leurs tendances profondes. C'est un passage qui a une ampleur lyrique et une audace étonnante pour l'époque. Il y avait bien eu d'autres écrivains homosexuels avant Proust, mais personne n'avait eu son courage. Lui, petit, malingre, malade, et déjà critiqué pour mille autres raisons, se fait le porte-voix de la minorité au sens large – celle des malades, des juifs, des homosexuels, et d'une certaine façon, la minorité des grands artistes qui sont toujours incompris.

Au tout début de *Sodome et Gomorrhe*, le narrateur, qui habite l'hôtel de Guermantes à Paris, observe depuis l'escalier le baron de Charlus qui marche seul dans la cour...

« À ce moment, où il ne se croyait regardé par personne, les paupières baissées contre le soleil, M. de Charlus avait relâché dans son visage cette tension, amorti cette vitalité factice, qu'entretenaient chez lui l'animation de la causerie et la force de la volonté. Pâle comme un marbre, il avait le nez fort, ses traits fins ne recevaient plus d'un regard volontaire une signification différente qui altérât la beauté de leur modelé ; plus rien qu'un Guermantes, il semblait déjà sculpté, lui Palamède XV, dans la chapelle de Combray. Mais ces traits généraux de toute une famille prenaient pourtant dans le visage de M. de Charlus une finesse plus spiritualisée, plus douce surtout. Je regrettais pour lui qu'il adultérât habituellement de tant de violences, d'étrangetés déplaisantes, de potinages, de

dureté, de susceptibilité et d'arrogance, qu'il cachât
sous une brutalité postiche l'aménité, la bonté qu'au
moment où il sortait de chez Mme de Villeparisis, je
voyais s'étaler si naïvement sur son visage. Clignant
des yeux contre le soleil, il semblait presque sourire,
je trouvai à sa figure vue ainsi au repos et comme au
naturel quelque chose de si affectueux, de si désarmé,
que je ne pus m'empêcher de penser combien M. de
Charlus eût été fâché s'il avait pu se savoir regardé ;
car ce à quoi me faisait penser cet homme qui était
si épris, qui se piquait si fort de virilité, à qui tout le
monde semblait odieusement efféminé, ce à quoi il me
faisait penser tout d'un coup, tant il en avait passagè-
rement les traits, l'expression, le sourire, c'était à une
femme [1] ! »

---

1. *Ibid.*, p. 1211.

5

Albertine

« Une personne [...] est une ombre où nous ne pouvons jamais pénétrer. »

(*Le Côté de Guermantes.*)

Au début du troisième tome d'À la recherche du temps perdu, le narrateur se rend compte qu'il est impossible de réellement connaître quelqu'un. Il met ainsi au jour un secret inestimable : celui de la vérité qui s'apprend au-delà des apparences. Et il va en faire l'expérience avec Albertine, la « jeune fille en fleurs » qu'il rencontre à Balbec. Elle sera son amour sans jamais être son amante, condamnée à être « prisonnière » ou « fugitive ».

* * *

Dans *Sodome et Gomorrhe*, les yeux du narrateur fixent un aéroplane qui vole dans le ciel. La silhouette de cet engin aux « ailes d'or » qui disparaît derrière les nuages le remplit d'une tristesse inexplicable. Cette brève image renvoie à un épisode précis de la vie de Marcel Proust : la mort, dans un accident d'avion, de son grand amour Alfred Agostinelli qui est l'une des clés d'Albertine Simonet, voire la principale.

Le romancier l'avait rencontré à Cabourg. Le jeune homme était à l'époque chauffeur de taxi et vint se présenter à Proust beaucoup plus tard, en 1913, pour chercher un emploi. Proust lui propose alors de lui servir de secrétaire, et l'héberge même dans son appartement boulevard Haussmann. Mais un beau jour, Agostinelli s'enfuit pour faire de l'aviation sous le nom de « Marcel Swann ». Passionné par ce sport, il désobéit aux instructions de son centre d'entraînement, survole la mer, et, victime d'une panne, son avion tombe dans l'eau. Agostinelli ne sait pas nager et se noie. Proust, qui avait déjà commencé à édifier Albertine, décide donc de donner au personnage l'étoffe d'Agostinelli. À l'origine, il avait toujours conçu que le narrateur vivrait un grand amour pour une jeune fille qu'il voulait appeler Maria. Mais sa rencontre avec le chauffeur va tout bouleverser.

Tout ce qu'a vécu Proust se retrouve dans son œuvre, métamorphosé bien sûr, mais tout y est. Mais en décidant d'incarner cette passion qu'il avait vécue, il n'opère pas une simple inversion, comme on disait à l'époque, où le jeune homme devient brutalement une femme. Proust avait une connaissance extraordinaire des femmes, il les fréquentait sans arrêt. Albertine est donc véritablement une femme mais elle est bisexuelle. Elle vit avec le narrateur, mais peu à peu on comprend – c'est un monde un peu pirandellien, on n'est pas sûr de la vérité – qu'elle a des aventures avec d'autres femmes, notamment avec cette Andrée,

que le narrateur connaît aussi, une jeune fille charmante qu'ils ont connue à Balbec.

Albertine, qui apparaît la première fois sur la
digue de Balbec, est le personnage le plus récur-
rent de la *Recherche*. Paradoxalement, elle est celle
qui tarde à prendre forme sous nos yeux, et sous la
plume de Proust peut-être. Jusqu'à la fin, elle est
inconnaissable. Le narrateur souffrira profondément
de ne jamais savoir la vérité sur elle, et c'est justement ce qui fait la beauté du personnage. Le lecteur
lui-même, ou la lectrice, ne savent plus très bien non
plus à quoi s'en tenir sur elle. Quant à l'homosexualité féminine, on retrouve le goût de Proust pour la
symétrie. Nous avions « Sodome », nous avons maintenant « Gomorrhe » à travers cette jeune fille dont
certains traits sont légèrement masculins. Proust,
comme Freud, pense que nous ne sommes pas tout
masculin ou tout féminin. Il n'y a pas une Albertine,
mais d'innombrables Albertine qui empêchent le
narrateur de la posséder réellement. Leur relation
amoureuse demeure donc impossible : à chaque fois
qu'il a l'impression de percer son secret, de l'avoir
pour lui tout seul, elle lui échappe, dans le sommeil
notamment. Et la jeune fille mourra avec son secret,
ce qui amène le narrateur à entreprendre, après son
décès, une extraordinaire enquête qui n'aboutira pas.
Le mystère d'Albertine reste donc entier. Aimait-elle
les femmes ? A-t-elle vraiment aimé les hommes ?
Cela, le lecteur ne le saura jamais vraiment. Et il
n'y a pas de plus beaux personnages que ceux que

l'on ne connaît pas, que ceux qui gardent leur mystère jusqu'au bout. C'est pourquoi d'ailleurs Proust aimait tellement *Pelléas et Mélisande*. Lorsqu'il cite plusieurs fois la phrase de Golaud : « Mais la vérité, on ne la connaît pas tous les jours », c'est très simplifié mais c'est exactement la vérité proustienne : elle est là, mais on ne la connaît pas.

Dans *La Prisonnière*, Albertine habite dans l'appartement parisien du narrateur. Un soir, elle s'est endormie sur le lit, et le narrateur en profite pour l'observer...

« J'ai passé de charmants soirs à causer, à jouer avec Albertine, mais jamais d'aussi doux que quand je la regardais dormir. Elle avait beau avoir, en bavardant, en jouant aux cartes, ce naturel qu'une actrice n'eût pu imiter, c'était un naturel plus profond, un naturel au deuxième degré que m'offrait son sommeil. Sa chevelure descendue le long de son visage rose était posée à côté d'elle sur le lit et parfois une mèche isolée et droite donnait le même effet de perspective que ces arbres lunaires grêles et pâles qu'on aperçoit tout droits au fond des tableaux raphaëlesques d'Elstir. Si les lèvres d'Albertine étaient closes, en revanche de la façon dont j'étais placé ses paupières paraissaient si peu jointes que j'aurais presque pu me demander si elle dormait vraiment. Tout de même, ces paupières abaissées mettaient dans son visage cette continuité parfaite que les yeux n'interrompent pas. Il y a des êtres dont la face prend une beauté et une majesté

inaccoutumées pour peu qu'ils n'aient plus de regard.
Je mesurais des yeux Albertine étendue à mes pieds.
Par instants elle était parcourue d'une agitation légère
et inexplicable comme les feuillages qu'une brise inat-
tendue convulse pendant quelques instants. Elle touchait à sa chevelure, puis ne l'ayant pas fait comme elle
le voulait, elle y portait la main encore par des mouvements si suivis, si volontaires, que j'étais convaincu
qu'elle allait s'éveiller. Nullement, elle redevenait
calme dans le sommeil qu'elle n'avait pas quitté. Elle
restait désormais immobile. Elle avait posé sa main sur
sa poitrine en un abandon du bras si naïvement puéril
que j'étais obligé en la regardant d'étouffer le sourire
que par leur sérieux, leur innocence et leur grâce nous
donnent les petits enfants. Moi qui connaissais plusieurs Albertine en une seule, il me semblait en voir
bien d'autres encore reposer auprès de moi. Ses sourcils arqués comme je ne les avais jamais vus entou-
raient les globes de ses paupières comme un doux nid
d'alcyon. Des races, des atavismes, des vices repo-
saient sur son visage. Chaque fois qu'elle déplaçait sa
tête elle créait une femme nouvelle, souvent insoup-
çonnée de moi. Il me semblait posséder non pas une,
mais d'innombrables jeunes filles. Sa respiration peu
à peu plus profonde maintenant soulevait régulièrement sa poitrine et, par-dessus elle, ses mains croisées,
ses perles, déplacées d'une manière différente par le
même mouvement, comme ces barques, ces chaînes
d'amarre que fait osciller le mouvement du flot. Alors,
sentant que son sommeil était dans son plein, et que
je ne me heurterais pas à des écueils de conscience
recouverts maintenant par la pleine mer du sommeil
profond, délibérément je sautais sans bruit sur le lit,
je me couchais au long d'elle, je prenais sa taille d'un

de mes bras, je posais mes lèvres sur sa joue et sur son cœur, puis sur toutes les parties de son corps posais ma seule main restée libre, et qui était soulevée aussi comme les perles, par la respiration d'Albertine ; moi-même, j'étais déplacé légèrement par son mouvement régulier. Je m'étais embarqué sur le sommeil d'Albertine [1]. »

---

1. *Ibid.*, p. 1655-1656.

III

Proust et son monde

par

Jérôme Prieur

Proust, chroniqueur mondain

« Il n'y a que les femmes qui ne savent pas s'habiller qui craignent la couleur. »

(*Sodome et Gomorrhe.*)

Entre deux considérations sur le temps et l'amour, Marcel Proust donne aussi son avis sur la mode… C'est d'ailleurs en parlant des toilettes des dames que le futur grand romancier a fait ses gammes en sortant du lycée. C'était en 1890, bien avant la publication de la Recherche… *À cette époque, Proust écrit et publie ses premiers articles mondains dans de petites revues éphémères. Ces textes méconnus consacrent ses années d'apprentissage : ils révèlent un jeune homme curieux et frivole qui court les salons et s'intéresse davantage aux volants des robes qu'aux discussions philosophiques. Un « Proust en fleurs », que nous connaissons peu, et qui prépare sa métamorphose.*

* * *

Très tôt, avec ses condisciples du lycée Condorcet à Paris – Daniel Halévy, Jacques Bizet, Robert Dreyfus – Marcel Proust avait nourri l'ardent désir d'être un jour reconnu dans le milieu littéraire. La « bande des petits amis » confectionne des numéros de revues qui ne circulent qu'à quelques exemplaires. Hypersensible et d'une intelligence trop vive, le jeune Marcel fascine autant qu'il rebute. Il gagne vite une réputation d'« imbuvable » au sein du clan. Des années plus tard, l'histoire raconte qu'André Gide n'aurait pas délié le fameux manuscrit *Du côté de chez Swann* quand il le reçut chez Gallimard en 1913. On peut imaginer qu'à ses yeux probablement le personnage du petit mondain qu'il avait croisé l'avait empêché de voir en lui la possibilité de l'écrivain de génie.

À dix-neuf ans, dès son retour du service militaire, Marcel publie pour la première fois dans une « vraie » revue imprimée. Faussant la compagnie de ses amis de Condorcet, il fait cavalier seul. C'est l'épisode très méconnu du *Mensuel* – précédant sa collaboration au *Banquet* qui passe souvent, à tort, pour avoir accueilli ses débuts littéraires. La revue, qui ne vivra qu'un an, est portée par un seul homme, Otto Bouwens, que Marcel a dû convaincre de l'accepter à ses côtés. Tous deux ont le même âge. Mais malgré son rôle capital dans la carrière de Proust, Otto Bouwens (qui se suicidera en 1922 pour une dette de jeu) disparaîtra ensuite de sa vie.

Alors qu'Otto a pour domaine réservé le théâtre, la politique et la diplomatie, Marcel devient le seul collaborateur régulier et permanent de la revue, et y apporte des sujets bien moins austères. Outre son intérêt prononcé pour le music-hall ou la peinture de son temps, l'écrivain en herbe se passionne pour la mode féminine. Sur un ton exalté, il décrit avec minutie en mars 1891 « le tissu de laine légère » d'une toilette, dont « la jupe [...] est doublée de taffetas », et ornée d'une « dentelle en imitation Vieux Venise [1] ». Plaisir d'écrire et plaisir des sens. Comme s'il était modiste ou costumière, le futur romancier conduit ses premiers lecteurs dans une cabine d'essayage : déjà il se délecte d'habiller et de déshabiller ses modèles – tandis qu'il se régale de changer de masques pour écrire, tantôt signant « Étoile filante », tantôt « Bob », tantôt « De Brabant »...

L'un des derniers textes écrits par Proust pour *Le Mensuel* témoigne de l'évolution de son écriture et de l'approfondissement de ses sujets d'inspiration. S'il annonce certaines des plus belles pages d'*À la recherche du temps perdu*, l'article « Choses normandes » intrigue aussi par sa tonalité très romantique et sa forme très intériorisée. Le jeune auteur mêle ainsi la sensation, la perception et l'émotion, comme le peindraient les impressionnistes. Le voici qui cherche à montrer ce que ses yeux ont pu voir. Avec ce texte, le premier à être signé de son nom, Marcel devient sous nos yeux Proust.

---

1. Marcel Proust, « La Mode », mars 1891, dans *Le Mensuel retrouvé*, précédé de Jérôme Prieur, *Marcel avant Proust*, Paris, Éditions Des Busclats, 2012, p. 114.

« Depuis quelques jours on peut contempler le calme de la mer dans le ciel redevenu pur, comme on contemple une âme dans un regard. Mais il n'y a plus personne pour se plaire aux folies et aux apaisements de la mer en septembre, puisqu'il est élégant de quitter les plages à la fin d'août pour aller à la campagne. Mais j'envie, et, si je les connais, je visite souvent ceux dont la campagne est voisine de la mer, est située au-dessus de Trouville, par exemple. J'envie celui qui peut passer l'automne en Normandie, pour peu qu'il sache penser et sentir. Ses terres, jamais bien froides, même en hiver, sont les plus vertes qu'il y ait, naturellement gazonnées sans la plus mince lacune, et, même au revers des coteaux, en l'aimable disposition appelée fonts boisées. Souvent d'une terrasse, où sur la table servie fume le thé blond, on peut apercevoir "le soleil rayonnant sur la mer" et des voiles qui viennent, "tous ces mouvements de ceux qui partent, de ceux qui ont encore la force de désirer et de vouloir". Du milieu si paisible et doux de toutes ces choses végétales on peut regarder la paix des mers, ou la mer orageuse, et les vagues couronnées d'écume et de mouettes, qui s'élancent comme des lions, faisant onduler sous le vent leurs crinières blanches. Mais la lune, invisible à tous pendant le jour, mais qui continue à les troubler de son magnifique regard, les dompte, arrête soudain leur assaut et les excite de nouveau avant de les faire reculer encore, sans doute pour charmer les mélancoliques loisirs de l'assemblée des astres, princes mystérieux des ciels maritimes. Celui qui vit en Normandie voit tout cela ; et s'il descend dans la journée au bord de la mer, il l'entend qui semble rythmer ses sanglots aux élans de l'âme humaine, la mer, qui dans le monde créé correspond à la musique, puisque, ne nous montrant rien de matériel, et n'étant point à sa manière descriptive, elle semble le chant monotone d'une volonté ambitieuse et défaillante [1]. »

---

1. Marcel Proust, « Choses normandes », septembre 1891, dans *Le Mensuel retrouvé, ibid.*, p. 133-134.

2

Proust, critique des mondains

> « C'est comme ça dans le monde, on ne se voit pas, on ne dit pas les choses qu'on voudrait dire, du reste, partout, c'est la même chose dans la vie. »
>
> (*Sodome et Gomorrhe.*)

Cette phrase adressée par Mme de Guermantes à M. de Froberville est pleine d'amertume, et criante de vérité. Le « monde » dont il est question, ces deux snobs en font partie, avec les quelque cinq cents autres personnages de la scène sociale de la Recherche… *Le romancier nous la fait découvrir en nous plongeant dans les salons aristocratiques et littéraires de l'époque : les convives y discutent généralement politique, musique et peinture, tout en critiquant le chapeau ou la robe de la duchesse d'à côté. Et si le jeune Marcel a pu côtoyer ces lieux mondains, le grand Proust, observateur et moqueur, en a écrit la savoureuse critique.*

★ ★ ★

Proust n'est pas seulement l'écrivain snob et délicat qu'imaginent ceux qui ne l'ont pas vraiment lu. C'est un auteur drôle et cruel. En dehors de sa poésie extraordinaire et de son hypersensibilité, il y a chez lui une dimension d'étrangeté que l'on doit toujours avoir à l'esprit. Il ne faut pas oublier que la *Recherche* est contemporaine de la peinture cubiste, même si Proust est resté très obtus par rapport à une partie de l'art moderne. Il est de ceux qui s'ingénient à être à la fois dehors et dedans : être observateur et observé, impliqué dans un monde auquel il appartient de toutes ses fibres, jouir de ses règles et de ses codes et simultanément le critiquer d'une façon d'autant plus acide qu'il n'a pas de secret pour lui. Rien ne lui échappe.

Mais Proust n'est pas seulement portraitiste, il est surtout anthropologue et entomologiste. « Aucun auteur n'a été à la fois plus féroce ni plus pitoyable envers ses personnages, disait son ami Jacques Porel. Il les retourne comme une peau de lapin mais d'abord il tombe follement amoureux puis, tout à coup, ces maudits prennent sous sa plume une taille démesurée. Ils sont comme portés à bout de bras par leur adorateur[1]. » Tout est chez lui dans cette double pulsion du chasseur. Voilà sûrement la chose qui vibre le plus dans l'œuvre de Proust. Sinon ne serait-il pas complètement démodé, complètement daté, ce peintre fidèle de son milieu, d'un milieu dont, franchement, nous sommes aujourd'hui à des années-lumière…

La société qu'il décrit est très confinée. C'est une

---

1. Jacques Porel, *Fils de Réjane*, 1951, cité dans Jérôme Prieur, *Proust fantôme*, Paris, Gallimard, coll. « Folio », 2006, p. 163-164.

société de survivants, elle-même dans le pastiche, la nostalgie du second Empire, le regret de ses privilèges. C'est le décor réaliste d'un univers de conte de fées. Pour se le représenter il faudrait penser au cinéma de Federico Fellini. La même démesure du regard éclate chez Proust, et la même attention. Les duchesses, les comtesses, les barons l'intéressent mais autant que les domestiques, les valets, les concierges. Il y a du vif-argent dans sa volonté d'être partout à la fois.

En écoutant ce que ses proches ont raconté de lui, ce qui saute aux yeux c'est que Proust était quelqu'un de très drôle. Il adorait les farces. C'était un imitateur extraordinaire. Il ne pouvait pas lire en public une page de son œuvre en cours sans pouffer de rire. C'est parce que Proust ne se prend pas au sérieux qu'il a pu être aussi lucide avec les autres.

Proust n'est pas que snob, il a toujours été un grand sentimental, un grand introverti. Dans *La Prisonnière*, il écrit en effet que le snobisme est une maladie grave de l'âme « mais qui ne la gâche pas tout entière ». Il y a donc une fêlure chez les snobs, et c'est ce déchirement qui passionne toujours Proust autant que le travestissement, l'outrance du jeu social.

L'immense acuité de son regard sur le monde, sa fascination pour les travers des uns et des autres sont partie prenante de sa sidérante capacité de réflexion sur soi. Cela fait que ce qu'il a pu écrire de l'amour, de l'amitié, du désir, de la jalousie, de la perte comme de la mémoire apparaît aujourd'hui encore de la plus totale et bouleversante actualité.

Si Proust a réussi à être un écrivain « mondain », c'est en habitant une infinité de mondes en lesquels, si longtemps après, au-delà des masques, nous nous reconnaissons toujours.

Dans « Un amour de Swann », Marcel Proust s'amuse à décrire Mme Verdurin, la mondaine par excellence qui tous les soirs s'entoure de son petit clan de fidèles. Autoritaire et joyeuse, elle trône dans son salon, mais doit veiller à ne pas trop rire depuis que sa mâchoire s'est – à cause d'un antécédent malheureux – littéralement décrochée…

« Mme Verdurin était assise sur un haut siège suédois en sapin ciré, qu'un violoniste de ce pays lui avait donné et qu'elle conservait, quoiqu'il rappelât la forme d'un escabeau et jurât avec les beaux meubles anciens qu'elle avait, mais elle tenait à garder en évidence les cadeaux que les fidèles avaient l'habitude de lui faire de temps en temps, afin que les donateurs eussent le plaisir de les reconnaître quand ils venaient. Aussi tâchait-elle de persuader qu'on s'en tînt aux fleurs et aux bonbons, qui du moins se détruisent ; mais elle n'y réussissait pas et c'était chez elle une collection de chauffe-pieds, de coussins, de pendules, de paravents, de baromètres, de potiches, dans une accumulation de redites et un disparate d'étrennes.

» De ce poste élevé elle participait avec entrain à la conversation des fidèles et s'égayait de leurs "fumisteries", mais depuis l'accident qui était arrivé à sa mâchoire, elle avait renoncé à prendre la peine de pouffer effectivement et se livrait à la place à une mimique conventionnelle qui signifiait, sans fatigue ni risques pour elle, qu'elle riait aux larmes. Au moindre mot que lâchait un habitué contre un ennuyeux ou contre un ancien habitué rejeté au camp des ennuyeux – et pour le plus grand désespoir de M. Verdurin qui avait eu longtemps la prétention d'être aussi aimable que sa femme, mais qui riant pour de bon s'essouf-flait vite et avait été distancé et vaincu par cette ruse d'une incessante et fictive hilarité – elle poussait un petit cri, fermait entièrement ses yeux d'oiseau qu'une taie commençait à voiler, et brusquement, comme si elle n'eût eu que le temps de cacher un spectacle indé-cent ou de parer à un accès mortel, plongeant sa figure dans ses mains qui la recouvraient et n'en laissaient plus rien voir, elle avait l'air de s'efforcer de réprimer, d'anéantir un rire qui, si elle s'y fût abandonnée, l'eût conduite à l'évanouissement. Telle, étourdie par la gaieté des fidèles, ivre de camaraderie, de médisance et d'assentiment, Mme Verdurin, juchée sur son per-choir, pareille à un oiseau dont on eût trempé le colifi-chet dans du vin chaud, sanglotait d'amabilité[1]. »

---

1. Marcel Proust, *À la recherche du temps perdu*, Paris, Gallimard, coll. « Quarto », p. 170.

3

La face cachée de Proust

« Notre personnalité sociale est une création de la pensée des autres. »

(*Du côté de chez Swann.*)

Il n'y a pas d'affirmation plus exacte pour définir le rapport que nous avons aujourd'hui, nous lecteurs, à Marcel Proust, à son œuvre et à sa légende. La personnalité sociale de Proust – sa personnalité tout court –, nous l'avons créée, nous la créons encore, de la même manière que le narrateur se rend compte au début de la Recherche *que tout le monde se fait une « idée » de Charles Swann, mais que personne ne le connaît réellement… À propos de Proust, plusieurs anecdotes circulent et hantent nos esprits : c'était un snob, asthmatique et coléreux, qui aimait profondément sa mère et s'interrogeait sur sa sexualité… Mais qui était-il vraiment ? Que cachent ce visage lisse, ce regard noir et ces cheveux bien peignés ? Y a-t-il un autre Proust qui nous resterait inconnu ?*

* * *

Tout commence par la voix, l'énigme de sa voix inconnue. Peut-être ressemblait-elle à celle de Guillaume Apollinaire enregistrée par un microphone il y a plus d'un siècle ? Une voix datée, une voix ouatée, que son ami Jean Cocteau imitait à merveille. Nous ne pouvons que l'imaginer, la deviner, et nous rattacher aux images de l'auteur en train de pouffer de rire, ou de se cacher le visage derrière la main pendant qu'il parlait... Dans mon ouvrage, *Proust fantôme*, j'ai osé rêver qu'il avait été filmé, comme quelques-uns de ses contemporains qui apparaissent dans le film extraordinaire de Sacha Guitry, *Ceux de chez nous* (1915), Rodin, Octave Mirbeau, Monet, Saint-Saëns, Renoir, etc. Heureusement, il nous reste au moins de lui quelques rares photographies.

Marcel Proust est, comme Albertine, un être de fuite. Nous courons après lui, mais il nous échappe constamment. Alors je suis parti à la recherche de cet auteur extraordinaire que je croyais connaître depuis si longtemps, je l'ai suivi comme un détective, en m'intéressant aux détails ou aux moments que les biographies souvent laissent de côté... Il en est de très grandes évidemment, et ce livre[1] ne prétend nullement rivaliser avec elles, d'autant qu'elles m'ont aidé à traquer son ombre. J'ai pourtant voulu commencer là où finissent les biographies, à ses funérailles. J'ai reconstitué le convoi funèbre car ce fut un événement parisien qui a réuni aussi bien Léon Daudet, Cocteau et Radiguet que Maïakovski. J'ai voulu retrouver les lieux que Proust avait pu fréquenter, visiter l'appartement

---

désert du boulevard Haussmann, marcher sur ses traces à travers les ruines de son Paris disparu, de la place de la Madeleine jusqu'à la rue Hamelin. Je suis allé interroger ses amis, j'ai fouillé leurs souvenirs pour retrouver celui qu'ils avaient connu, et apprendre comment il était dans la vie : ses bizarreries, ses manies de langage, sa mémoire démentielle, sa passion de la généalogie, ses collections de potins, les sommes astronomiques qu'il dépensait en pourboires ou en cadeaux…

Généreux, Proust, mais aussi infréquentable, féroce, capricieux, très différent de l'image plutôt lisse et fade que certains portraits de lui nous renvoient. Dans son magnifique livre de mémoires, *Monsieur Proust*, sa gouvernante, Céleste Albaret, parlait même de sa « tyrannie ». Sa jalousie est bien connue, son art d'être jaloux devrait-on dire, mais sa pulsion de meurtre est cachée entre les lignes[1]. Que serait-il devenu s'il n'était pas mort à cinquante et un ans, le 18 novembre 1922, après avoir tout juste écrit le dernier mot de la *Recherche*? Probablement aurait-il revu et corrigé *Du côté de chez Swann*, le premier tome qui était paru avant la guerre. Quel aurait été son destin s'il avait vécu d'autres époques, si son œuvre ne s'était pas refermée sur lui, s'il n'était pas resté à tout jamais couché dans son lit de paperoles?

Proust incarne la littérature. Il est l'« homme-

---

1. Diane de Margerie le montre encore récemment dans *Proust et l'obscur*, Paris, Albin Michel, 2010.

livre » personnifié, celui qui s'est mis à dérégler le cycle du temps, écrivant la nuit, dormant le jour. L'avant-dernier été, en 1921, il déplore la canicule mais ne peut quitter Paris à cause de son asthme, et il écrit sous sept couvertures, avec deux bouillottes, un manteau… Toute son énergie vitale est littéralement passée dans le geste d'écrire. Proust s'est métamorphosé en personnage de légende.

Depuis l'origine Proust a toujours été très conscient de lui, de ses vices et de ses vertus, comme en témoigne l'autoportrait ravageur qu'adolescent il avait envoyé en 1888 à son ami Robert Dreyfus. Il n'avait alors que dix-sept ans.

« Connaissez-vous X, ma chère [il s'adresse à Robert Dreyfus], c'est-à-dire M. P. ? Je vous avoue-rai pour moi qu'il me déplaît un peu, avec ses grands élans perpétuels, son air affairé, ses grandes passions et ses adjectifs. Surtout il me paraît très fou ou très faux. Jugez-en. C'est ce que j'appellerais un homme à déclarations. Au bout de huit jours il vous laisse entendre qu'il a pour vous une amitié considérable et sous prétexte d'aimer un camarade comme un père, il l'aime comme une femme […]. Sous couleur de se moquer, de faire des phrases, des pastiches, il vous laisse entendre que vos yeux sont divins et que vos lèvres le tentent. Le fâcheux, ma chère, c'est qu'en quittant B qu'il a choyé, il va cajoler D, qu'il laisse bientôt pour se mettre aux pieds de E et tout de suite après sur les genoux de F. Est-ce un p… [pédéraste ?],

est-ce un fou, est-ce un fumiste, est-ce un imbécile?
M'est avis que nous n'en saurons jamais rien. Au fait,
peut-être est-il tous les quatre à la fois[1]. »

1. Marcel Proust, lettre à Robert Dreyfus, septembre 1888,
Correspondance, t. I (1880-1895), texte établi par Philip Kolb, Paris,
Plon, 1970, cité dans *Le Mensuel retrouvé*, *ibid.*, p. 12.

IV

L'amour

par

Nicolas Grimaldi

I

Portrait de lecteur

« On n'aime plus personne dès qu'on aime. »

(*Du côté de chez Swann.*)

Les intermittences du cœur tiennent une place centrale dans la Recherche. *Les personnages tombent amoureux, sont tour à tour enthousiastes, inquiets, jaloux, malheureux, et parfois désespérés. Aucun d'entre eux ne parvient, finalement, à jouir de ses sentiments. Ainsi va l'amour chez Proust: c'est un sursaut condamné, un espoir voué à la déception.*

* * *

« Aimer, dit Stendhal, c'est avoir du plaisir à voir, à toucher, sentir, par tous les sens, et d'aussi près que possible, un objet aimable et qui nous aime. » Or rien n'est plus contraire à ce que Proust décrit. Sans doute le phénomène stendhalien de la « cristallisation » semble-t-il anticiper bien des analyses où Proust nous montre qu'une personne est aussi peu que rien dans l'amour que nous avons pour elle, puisque ce que nous aimons en elle n'est qu'une création de notre imagination. Mais si ce que nous aimons d'une femme est tout imaginaire, il va de soi que sa présence ne peut que désenchanter ce dont son absence nous avait fait rêver. Si, chez Stendhal, la présence peut combler ce que l'amour nous avait fait attendre, à l'inverse, chez Proust, la présence de la personne aimée ne fait que rendre plus sensible l'irréductible distance qui sépare l'irréalité imaginée de la réalité perçue. Ou bien, par conséquent, nous souffrons de sentir insaisissable la personne que nous aimons. Ou bien nous souffrons de sentir si différente de ce que nous en avions imaginé celle que nous saisissons. Il n'y a donc pas d'amour heureux : ou nous souffrons de ne pas posséder ce que nous désirons, ou nous souffrons de ne pas désirer ce que nous possédons.

Cela n'empêche pas l'amour d'être le mot le plus fréquemment employé dans la *Recherche*. D'un point de vue strictement lexical, il ne serait donc pas faux de dire que l'amour en est le principal sujet. Mais cela devrait être aussitôt corrigé, en précisant qu'elle traite de la déception aussi souvent que de l'amour. « L'amour, dit Proust, est une torture réciproque. » Si on entend donc par amour l'émerveillement que suscite sans cesse une personne, au point que nous voudrions lui offrir notre vie pour exalter la sienne, on n'en trouvera pas un seul exemple dans ce livre. L'amour, chez Proust, est l'attente d'un bonheur qui se dérobe à mesure que nous en approchons. Seule l'absence d'une personne nous en fait sentir le besoin. Mais sa seule présence suffit presque à chaque fois à nous rendre incompréhensible ce qui avait pu nous la faire désirer. Trois thèmes n'ont donc cessé de me fasciner chez Proust: l'attente, la déception, et les envoûtements de l'imaginaire. Le troisième est ce qui unit les deux premiers.

L'expérience la plus originaire et la plus fondamentale me paraît être, chez Proust, celle d'une séparation liée à la représentation. Il attend sans cesse une sorte d'intimité avec ce qui l'entoure. Il voudrait se sentir adhérer à la réalité aussi intensément qu'il se sent adhérer à la vie des personnages lorsqu'il lit un roman. Il n'y a pas chez Proust d'attente plus constante ni plus constamment déçue.

Cette attente et cette déception me semblent liées à la structure de la représentation. Car le propre de la représentation est d'exclure la conscience de ce qu'elle lui représente. En tenant le sujet à distance de son objet, elle l'en tient perpétuellement écarté. Aussi n'y a-t-il telle proximité dont le narrateur ne sente en même temps l'énigmatique étrangeté. De là, chez Proust, cette constante frustration de côtoyer le réel, de le frôler, sans jamais pouvoir y pénétrer. La représentation nous assigne de la sorte à un rôle de voyeurs. Dès le début de *Du côté de chez Swann*, le narrateur consigne l'expérience d'une telle relégation: « Quand je voyais un objet extérieur, la conscience que je le voyais s'interposait entre moi et lui, le bordait d'un mince liseré qui m'empêchait de jamais toucher directement sa matière. » Aussi le monde, les autres, ne lui apparaissent-ils que comme un spectacle auquel il lui serait permis d'assister, mais auquel il lui serait interdit de participer.

Alors que la réalité qu'il perçoit lui reste donc extérieure, énigmatique, étrangère, il n'est rien à l'inverse qu'il ne sente aussi intensément que ce qu'il imagine. Car l'imagination, chez Proust, n'est pas le résidu ou la trace de quelque ancienne perception. Elle ne consiste pas, comme chez les philosophes classiques, à se représenter un objet en son absence. Tout à l'inverse, elle consiste à *se rendre présent* ce que nous évoquons. Elle se le rend présent en le jouant. Elle le joue en le mimant intérieurement. C'est de tout notre être que nous tirons alors de nous-mêmes ce que nous nous efforçons d'imaginer. Voilà pourquoi, chez Proust, nous trouvons plus d'intensité à cette réalité (intérieure) que nous suscitons qu'à la réalité (extérieure) que nous subissons en l'observant.

Dans *Du côté de chez Swann*, Marcel Proust donne un exemple aussi significatif qu'émouvant de cette imagination à l'œuvre. Les aubépines qu'il admirait tout au long du chemin de Tansonville, il s'émerveillait de les retrouver au mois de mai, parant et décorant l'église. Mais quelque admiration qu'il en éprouvât, avec quelque patience et quelque ténacité qu'il les observât, elles n'en gardaient pas moins leur secret et restaient pour lui un décor extérieur. Il n'en sentira l'intense réalité qu'en imaginant leur vie, à la manière dont un lecteur imagine la vie des personnages : en la mimant intérieurement.

« C'est au mois de Marie que je me souviens d'avoir commencé à aimer les aubépines. N'étant pas seulement dans l'église, si sainte, mais où nous avions le droit d'entrer, posées sur l'autel même, inséparables des mystères à la célébration desquels elles prenaient part, elles faisaient courir au milieu des flambeaux et des vases sacrés leurs branches attachées horizontalement les unes aux autres en un apprêt de fête, et qu'enjolivaient encore les festons de leur feuillage sur lequel étaient semés à profusion, comme sur une traîne de mariée, de petits bouquets de boutons d'une blancheur éclatante. Mais, sans oser les regarder qu'à la dérobée, je sentais que ces apprêts pompeux étaient vivants et que c'était la nature elle-même qui, en creusant ces découpures dans les feuilles, en ajoutant l'ornement suprême de ces blancs boutons, avait rendu cette décoration digne de ce qui était à la fois une réjouissance populaire et une solennité mystique. Plus haut s'ouvraient leurs corolles çà et là avec une grâce insouciante, retenant si négligemment comme un dernier et vaporeux atour le bouquet d'étamines, fines comme des fils de la Vierge, qui les embrumait tout entières, qu'en suivant, qu'en essayant de mimer au fond de moi le geste de leur efflorescence, je l'imaginais comme si ç'avait été le mouvement de tête étourdi et rapide, au regard coquet, aux pupilles diminuées, d'une blanche jeune fille, distraite et vive [1]. »

---

1. Marcel Proust, *À la recherche du temps perdu*, Paris, Gallimard, coll. « Quarto », 1999, p. 96-97.

2

Le désir

« L'amour [...] ne naît, il ne subsiste, que si une partie reste à conquérir. »

(*La Prisonnière.*)

Après avoir rencontré Albertine à Balbec, l'avoir séduite et embrassée, le narrateur, qui ne peut supporter l'idée qu'elle puisse être loin de lui, lui demande de venir s'installer à son domicile parisien. Albertine accepte mais, soudain, le désir du héros s'amenuise... Le souhait enfin exaucé fait s'éteindre l'amour naissant qu'il éprouvait pour la jeune fille... Ainsi, page après page, Proust met le désir la question fondamentale de son livre, décortiquant les multiples facettes et les conséquences de cette passion de l'âme.

* * *

À propos du désir, un premier théorème gouverne tous les autres : c'est qu'on ne désire pas une personne à cause de ce qu'elle est, mais pour ce que nous en imaginons de lointain, de merveilleux, d'insaisissable. C'est notre imagination qui nous la rend désirable, en fixant sur elle nos fantasmes. Aussi le désir n'exprime-t-il pas, chez Proust, quelque forme de rapport avec autrui, mais uniquement quelque attente fantasmatique d'autrui. La preuve en est que le narrateur n'hésite pas à se déclarer éperdument amoureux non seulement de personnes qu'il ne connaît pas, mais qu'il n'a même jamais vues. Ainsi en va-t-il de Mlle d'Orgeville, de la femme de chambre de la baronne Putbus, ou de jeunes filles dont il aurait voulu se faire aimer, rien que pour avoir lu leur nom dans le carnet mondain de son journal.

Le désir exprime généralement, chez Proust, deux aspirations ou deux tendances. Tantôt il aspire à conquérir une autre personne comme on annexerait un territoire. En l'émerveillant, en la fascinant, le narrateur voudrait se rendre inoubliable. En marquant, en impressionnant une autre personne, son image s'y serait à jamais incrustée. Elle ne pourrait plus s'en détacher. Elle en serait devenue si inséparable que cette personne ne pourrait plus se penser elle-même sans penser à lui. Tel est le fantasme de toute représentation. De même qu'il n'y a d'objet que pour un sujet, de même rien n'existe pour un sujet qu'autant qu'il en est affecté. Affecter une autre conscience, l'intriguer, l'obséder, c'est être *en elle* assuré d'exister. Aussi le jeune narrateur désire-t-il moins aimer que d'être aimé. Car être aimé, c'est avoir arrimé son existence à une autre. Ainsi ne lui arrive-t-il guère de croiser quelque jeune fille sans aussitôt désirer en être si remarqué qu'elle ne puisse plus l'oublier.

Tantôt le désir nous fait aspirer à goûter toutes les saveurs de l'existence, à en éprouver toutes les tonalités, à en épuiser les possibles. Les personnages proustiens s'en remettent alors à l'amour de les initier à de tout autres univers, pour y explorer de plus intenses manières de sentir. L'amour est pour eux l'occasion d'une telle exploration. Comme le narrateur imagine auprès de Gilberte une existence transfigurée par l'inspiration poétique de Bergotte, Saint-Loup imagine d'être initié par Rachel aux vertiges avant-gardistes de l'art et de la pensée. Ainsi Swann attendait-il d'Odette un surcroît d'intimité avec l'univers florentin du Quattrocento et avec la sensibilité de Botticelli. Ainsi voyons-nous le narrateur désirer être aimé de jeunes crémières, de petites paysannes, de vendeuses ou de midinettes, pour incorporer leur existence à la sienne, et découvrir à travers elles des univers et des manières de vivre insoupçonnés. À cet égard, ce qu'il attend de l'amour n'est guère différent de ce qu'il attend de l'art ou des voyages.

C'est un tout autre type de désir toutefois qui anime Cottard, ou qui envahit Legrandin, sa sœur (la marquise de Cambremer), ou les Verdurin. Tous vivent dans l'univers de la représentation, où chacun croit être ce qu'il s'imagine être vu. Chacun y a son existence dans l'image qu'il croit en donner aux autres. C'est ce qui fait le snobisme. Tous sont donc possédés par le désir de paraître ce qu'ils sont si peu assurés d'être vraiment. La duchesse de Guermantes ne désire qu'une chose : être incomparable. M. de Norpois ne désire que paraître indispensable. Mme Verdurin, comme Mme de Cambremer, désire paraître à la pointe avancée de l'art. L'une et l'autre ne désirent en fait qu'une chose : étonner, surprendre, épater, en faisant croire qu'elles appartiennent à une sphère aussi enviable qu'inaccessible.

Mais le désir le plus obsédant est celui qui est à chaque fois suscité par l'angoisse de ne pas retrouver une personne qu'on est désemparé d'avoir soudain perdue. Or c'est parce qu'on l'a perdue qu'on se met à l'aimer, bien loin de la sentir perdue parce qu'on l'aimait. Tel est alors l'étau de l'angoisse que, pour n'en être plus broyés, Swann ou le narrateur éprouvent le besoin de retrouver cette personne. C'est ce désir oppressant de ne plus souffrir qu'ils prennent alors pour de l'amour. Or il y a une grande différence entre éprouver une absence comme insupportable et désirer véritablement une présence. Tout le drame de l'amour chez Proust vient de cette confusion.

Dans *À l'ombre des jeunes filles en fleurs*, le narrateur adolescent passe des vacances à Balbec avec sa grand-mère, logeant au Grand Hôtel qui fait face à la mer. Un jour, il est en balade avec Mme de Villeparisis. Son regard se pose sur une belle pêcheuse…

« Comme je quittais l'église, je vis devant le vieux pont des filles du village qui, sans doute parce que c'était un dimanche, se tenaient attifées, interpellant les garçons qui passaient. Moins bien vêtue que les autres, mais semblant les dominer par quelque ascendant – car elle répondait à peine à ce qu'elles lui disaient –, l'air plus grave et plus volontaire, il y en avait une grande qui assise à demi sur le rebord du pont, laissant pendre ses jambes, avait devant elle un petit pot plein de poissons qu'elle venait probablement de pêcher. Elle avait un teint bruni, des yeux doux, mais un regard dédaigneux de ce qui l'entourait, un nez petit, d'une forme fine et charmante. Mes regards se posaient sur sa peau et mes lèvres à la rigueur pouvaient croire qu'elles avaient suivi mes regards. Mais ce n'est pas seulement son corps que j'aurais voulu atteindre, c'était aussi la personne qui vivait en lui et avec laquelle il n'est qu'une sorte d'attouchement, qui est d'attirer son attention, qu'une sorte de pénétration, y éveiller une idée.

» Et cet être intérieur de la belle pêcheuse semblait m'être clos encore, je doutais si j'y étais entré, même après que j'eus aperçu ma propre image se refléter furtivement dans le miroir de son regard, suivant un indice de réfraction qui m'était aussi inconnu que si je me fusse placé dans le champ visuel d'une biche. Mais de même qu'il ne m'eût pas suffi que mes lèvres prissent du plaisir sur les siennes mais leur en donnassent, de même j'aurais voulu que l'idée de moi qui entrerait en cet être, qui s'y accrocherait, n'amenât pas à moi seulement son attention, mais son admiration, son désir, et le forçât à garder mon souvenir jusqu'au jour où je pourrais le retrouver[1]. »

---

1. *Ibid.*, p. 567.

3

L'attente

« Savoir qu'on n'a plus rien à espérer n'empêche pas de continuer à attendre. »

(À l'ombre des jeunes filles en fleurs.)

*Comment consoler ce pauvre narrateur qui attend que l'élue
de son cœur, Gilberte, daigne lui écrire une lettre ? Dans le
deuxième tome d'*À la recherche du temps perdu, *la fille
d'Odette de Crécy et de Charles Swann n'épargne pas le
jeune héros qui ne vit que pour aller jouer avec elle aux
Champs-Élysées. Un jour, il décide de ne plus la voir –
car Gilberte se serait moquée de lui – tout en continuant
d'espérer qu'elle lui fasse signe. Mais il n'avait pas prévu
que cela le plongerait dans un tel état d'attente : une attente
synonyme d'extase comme de souffrance.*

★ ★ ★

Comment aurait-on pu dire d'*À la recherche du temps
perdu* que c'est le roman des déceptions si ce n'était
plus encore un roman de l'attente ? Car il n'y a pas de
déception qu'une attente ne précède. L'œuvre commence d'ailleurs par le récit d'une attente. Alors que
Swann vient de rendre visite à ses grands-parents, le

narrateur a dû se retirer dans sa chambre sans avoir reçu le baiser de sa mère. Si douloureuse, si obsédante est cette attente qu'elle est décrite comme une sorte d'agonie. Car en nous rendant uniquement attentifs à ce que l'avenir nous promet, l'attente nous rend aussi indifférents au présent que si nous n'y étions plus. C'est en ce sens que l'attente nous retranche de la réalité, en nous faisant pressentir que la vraie vie est ailleurs.

Comme si l'attente était l'étoffe même de la conscience, tous les récits que nous fait le narrateur sont gouvernés par l'attente. Sans cesse, il attend quelque chose. Il attend le baiser de sa mère, de retrouver Gilberte aux Champs-Élysées, d'en recevoir une lettre, de savoir s'il en est aimé. Il attend de croiser la duchesse de Guermantes, de s'en faire remarquer. Il attend que Saint-Loup s'en fasse l'entremetteur. Il attend qu'Elstir le présente aux jeunes filles. Il attend Albertine ; il attend Mme de Stermaria ; il attend de rencontrer Mlle d'Orgeville ; il attend de Bergotte, de la Berma, de Balbec, de Venise, une révélation qu'il ne recevra pas.

Il attend enfin de savoir quels étaient les goûts d'Albertine, si elle appartenait à Sapho, et si elle l'avait jamais aimé. Mais toutes ces diverses attentes ne font que scander deux attentes plus fondamentales, et dont il ne découvrira que tardivement qu'elles sont liées : aussi constamment qu'il attend de commencer son œuvre, il attend de découvrir enfin le secret de tout ce qu'il a vécu.

Car toute attente est à elle-même son propre manque. C'est elle qui donne à tout le récit cette atmosphère de *recherche*, et par conséquent d'*inquiétude*. De cette attente originaire s'ensuit un sentiment latent de constant retranchement et de secrète dissidence. C'est elle qui fait éprouver au narrateur à la fois ce sentiment de distance par rapport au réel et d'incomplétude par rapport à soi. « La vraie vie est absente » : c'est ce que l'attente lui fait éprouver.

Constitutive de la conscience, l'attente se dédouble elle-même en deux aspirations de sens contraire. C'est même de leur antagonisme que vient la tension de toute la *Recherche*. D'une part, en effet, toute attente est une séparation. Pour mettre fin à cette séparation, elle nous rend impatients de quelque chose à venir que nous ne connaissons pas encore. Ainsi suscite-t-elle un désir de découvertes et d'aventures. C'est ce désir que nous cherchons à satisfaire dans l'art ou par les voyages. C'est ce même désir qui rend aussi le narrateur impatient d'aborder d'autres univers auxquels l'initieraient ses amoureuses.

Mais d'autre part, comme il va de soi, toute attente porte en elle le sens de ce qui ne laisserait plus rien à attendre. En même temps qu'elle est une séparation, elle suscite un désir d'unité avec le monde, avec les autres, et avec soi. C'est parce que l'attente nous sépare du réel qu'elle nous fait aspirer à le *retrouver*.

Pour ne plus avoir à attendre Albertine et à

endurer l'angoisse de la séparation, le narrateur va se l'attacher, la retenir chez lui, en faire sa prisonnière. Mais voici que l'ambivalence de l'attente déjoue presque aussitôt sa ruse. Car on ne peut pas vivre sans attendre. N'avoir rien à attendre, c'est l'ennui. Aussi le narrateur dit-il que son amour pour Albertine ne lui faisait éprouver que souffrance ou qu'ennui. L'un des théorèmes fondamentaux de la psychologie proustienne est qu'on puisse en effet désirer que ce qu'on ne possède pas. Par une sorte d'ironique corollaire, il suffit de le posséder pour ne plus le désirer, et, du même coup, pour le trouver indésirable. Albertine devenue sa prisonnière, le narrateur n'a certes plus à l'attendre. Mais l'ennui qui s'ensuit lui fait attendre des aventures, des rencontres, des plaisirs, dont la présence d'Albertine le prive. Maintenant qu'elle est arrivée et qu'il n'en est plus séparé, c'est lui qui attend de s'en séparer et de partir.

Inhérente à l'attente, cette contradiction semble donc sceller l'échec de la *Recherche*. Cet échec ne sera surmonté que lorsqu'il découvrira enfin ce qu'il attendait. En tirant de son imagination un équivalent de ce que lui fait soudain revivre un souvenir involontaire, il se sentira enfin réuni à la réalité. Lui sera du même coup révélé qu'il ne pouvait pas recevoir de l'extérieur ce qu'il avait toujours attendu, car ce qu'il attendait était en fait et depuis toujours tapi au fond de lui.

Dans *Sodome et Gomorrhe*, le narrateur vient juste de dîner chez les Guermantes. Il se dépêche de rentrer chez lui car Albertine, rencontrée plus tôt à Balbec, doit le rejoindre. Arrivé dans son appartement, il attend donc avec impatience l'apparition prochaine de la jeune femme qui tarde à venir. Où peut-elle bien être ? Pourquoi est-elle en retard ? Qu'est-ce qui la retient ? Le voici figé dans sa chambre, se tenant près du téléphone, priant pour qu'il sonne.

« De peur de ne pas l'entendre, je ne bougeais pas. Mon immobilité était telle que, pour la première fois depuis des mois, je remarquai le tic-tac de la pendule. Françoise vint arranger des choses. Elle causait avec moi, mais je détestais cette conversation, sous la continuité uniformément banale de laquelle mes sentiments changeaient de minute en minute, passant de la crainte à l'anxiété, de l'anxiété à la déception complète. Différent des paroles vaguement satisfaites que je me croyais obligé de lui adresser, je sentais mon visage si malheureux que je prétendis que je souffrais d'un rhumatisme pour expliquer le désaccord entre mon indifférence simulée et cette expression douloureuse ; puis je craignais que les paroles prononcées, d'ailleurs à mi-voix, par Françoise (non à cause d'Albertine, car elle jugeait passée depuis longtemps l'heure de sa venue possible) risquassent de m'empêcher d'entendre l'appel sauveur qui ne viendrait plus. Enfin Françoise alla se coucher ; je la renvoyai avec une rude douceur, pour que le bruit qu'elle ferait en s'en allant ne couvrît pas celui du téléphone. Et je recommençai à écouter, à souffrir; quand nous attendons, de l'oreille qui recueille les bruits à l'esprit qui les dépouille et les analyse, et de l'esprit au cœur à qui il transmet ses résultats, le double trajet est si rapide que nous ne pouvons même pas percevoir sa durée, et qu'il semble que nous écoutions directement avec notre cœur.

» J'étais torturé par l'incessante reprise du désir toujours plus anxieux, et jamais accompli, d'un bruit d'appel; arrivé au point culminant d'une ascension tourmentée dans les spirales de mon angoisse solitaire, du fond du Paris populeux et nocturne approché soudain de moi, à côté de ma bibliothèque, j'entendis tout à coup, mécanique et sublime, comme dans *Tristan* l'écharpe agitée ou le chalumeau du pâtre, le bruit de toupie du téléphone. Je m'élançai, c'était Albertine [1]. »

---

1. *Ibid.*, p. 1307-1308.

4

La jalousie

« La jalousie n'est souvent qu'un inquiet
besoin de tyrannie appliqué aux choses de
l'amour. »

(*La Prisonnière.*)

*Swann et le narrateur sont, dans le roman, victimes d'un
doute fondamental, d'un tremblement invariable : la jalousie. Dès lors, il n'y a plus de calme possible pour eux : ils
vivent dans la crainte constante de perdre l'être aimé,
d'être trompés, d'être joués à tout instant. Seule compte
la recherche de la vérité qui, peut-être, pourra les guérir.
Mais comment naît la jalousie ? Pourquoi consume-t-elle
autant les personnages de la* Recherche *et surtout quel sens
donne-t-elle à leurs sentiments ?*

★ ★ ★

La jalousie peut s'expliquer de bien des façons. En
général, l'amour nous rend si indispensable une autre
personne que nous ne pouvons pas supporter de la
perdre, ni moins encore de n'en être plus aimé. À ce
sentiment de dépossession peut en outre s'ajouter la
blessure narcissique de voir accorder à un autre ce
qui nous est désormais refusé. Un autre a pris notre

place, nous a supplantés. Le désespoir de la perte est alors envenimé par la rage d'un dépit. C'est le cas de Saint-Loup par rapport à Rachel. À cela se joint le soupçon de s'être toujours mépris sur la femme que l'on croyait aimer. Pour me préférer à la sauvette n'importe quel godelureau, de quelle bassesse ne lui faut-il être capable? À la douleur de la perte s'ajoute ainsi l'amertume de devoir nous briser en brisant notre amour, puisqu'il nous faut maintenant détruire ce qu'on avait construit, et tenir pour méprisable ce qu'on avait tenu pour le plus admirable.

Dans le cas de Swann et du narrateur, dans la *Recherche*, les rapports de l'amour et de la jalousie sont toutefois inversés. C'est même ce qui en fait la singularité. La jalousie, chez eux, précède chaque fois l'amour. Pas plus que Swann n'avait jamais aimé Odette, pas plus le narrateur n'a-t-il jamais aimé Albertine. Mais, pour l'un comme pour l'autre, il a suffi de devoir les attendre une seule fois en vain pour avoir senti qu'elles ne dépendaient pas d'eux, et qu'elles pourraient donc un jour ne pas répondre à leur attente. Éprouvée comme une imprévisible frustration, cette attente déçue et cette perplexité suscitent aussitôt la souffrance d'une angoisse. C'est cette angoisse qui va faire naître leur amour. Car il n'y a que la présence d'Odette ou d'Albertine qui puisse mettre fin, comme un analgésique, à la douleur que leur absence a fait naître.

À l'origine de la jalousie, il y a donc deux découvertes. La première est que nous étions moins indifférents que nous ne pensions à une aussi insignifiante personne. La seconde est que cette personne a sa propre vie, ses propres intérêts, ses propres relations, et qu'aussi soumise qu'elle ait pu nous sembler, ses désirs ne sont pas à la disposition des nôtres.

Une fois faite, une telle découverte va surplomber et obséder aussi bien l'existence de Swann que celle du narrateur. Car la jalousie est une psychopathologie de l'imaginaire. Pas plus qu'il n'y a de jalousie sans soupçons, pas plus n'y a-t-il en effet de soupçon sans imagination. Or, le propre du soupçon est que *notre imagination du possible lacère l'image que nous avons du réel*. Dès que nous avons perdu de vue la femme dont nous sommes jaloux, que n'en pouvons-nous en effet imaginer? Où est-elle en ce moment? Qu'y fait-elle? Avec qui? Comment? Le jaloux tente alors de l'imaginer. En l'imaginant, il se le représente, il le mime intérieurement, il le ressent, il le vit.

À la jalousie il n'y a toutefois pas plus de motifs que de raisons. Elle sécrète par elle-même les soupçons qui la nourrissent autant qu'ils l'exaspèrent. C'est une sorte de gale : parce qu'on souffre, on se gratte ; et on irrite en se grattant ce qui nous fait souffrir. Car il n'est si mince soupçon qui n'en fasse aussitôt imaginer d'autres. Rien qu'une absolue certitude pourrait mettre fin à la frénésie de l'imagination soupçonneuse. C'est ce que tentent d'obtenir tous les interrogatoires, comme celui de Swann avec Odette. Or non seulement les aveux font parfois découvrir ce qu'on n'aurait pas même osé imaginer, mais ils préviennent la personne aimée d'avoir à se défier du jaloux. Il voulait à tout prix la vérité : il n'aura jamais que mensonges. Il voudrait tout connaître ; il ne connaîtra plus jamais rien. La jalousie a hermétiquement verrouillé ce qu'elle avait l'obsession d'ouvrir.

Peut-être le ressort le plus secret de la jalousie nous est-il découvert par cette obsession qu'a le narrateur de faire fouiller et explorer les moindres détails de la vie d'Albertine quoiqu'elle fût déjà morte. C'est ce que Proust appelle « la jalousie de l'escalier ». Ayant lancé un limier enquêter sur sa conduite, ses fréquentations, ses goûts, partout où elle allait, ce qu'il en apprendra dépassera tout ce qu'il avait pu imaginer. Puisqu'elle est morte, sa jalousie ne peut pas avoir pour objet de découvrir *ce qu'elle faisait*, mais de savoir *qui elle était*. La vérité qui l'obsède ne peut plus être celle d'aucune loyauté ni d'aucune fidélité, mais bien plus profondément celle de son être même. Qui était véritablement Albertine ? Qui ai-je donc véritablement aimé ? En ayant consacré ma vie à quelqu'un qui, en réalité, n'existait pas, n'ai-je pas seulement rêvé ma vie ? Plus que sur la personne elle-même, la jalousie exprime donc notre doute sur la réalité de ce que nous avons cru vivre. Car si nous n'avons vécu que d'illusions, notre vie elle-même ne fut-elle pas que le plus obsédant et le plus vain de nos fantasmes ?

Le premier jaloux de la *Recherche* est sans doute Charles Swann. Tandis qu'il fréquente Odette de Crécy depuis peu, il reçoit un jour une lettre anonyme qui l'informe que cette dernière a été la maîtresse de plusieurs hommes et de plusieurs femmes…

« Un jour il cherchait, sans blesser Odette, à lui demander si elle n'avait jamais été chez des entremetteuses. À vrai dire il était convaincu que non ; la lecture de la lettre anonyme en avait introduit la supposition dans son intelligence, mais d'une façon mécanique ; elle n'y avait rencontré aucune créance, mais en fait y était restée, et Swann, pour être débarrassé de la présence purement matérielle mais pourtant gênante du soupçon, souhaitait qu'Odette l'extirpât. "Oh ! non ! Ce n'est pas que je ne sois pas persécutée pour cela", ajouta-t-elle, en dévoilant dans un sourire une satisfaction de vanité qu'elle ne s'apercevait plus ne pas pouvoir paraître légitime à Swann. "Il y en a une qui est encore restée plus de deux heures hier à m'attendre, elle me proposait n'importe quel prix. Il paraît qu'il y a un ambassadeur qui lui a dit : Je me tue si vous ne me l'amenez pas. On lui a dit que j'étais sortie, j'ai fini par aller moi-même lui parler pour qu'elle s'en aille. J'aurais voulu que tu voies comme je l'ai reçue, ma femme de chambre qui m'entendait de la pièce voisine m'a dit que je criais à tue-tête : "Mais puisque je vous dis que je ne veux pas ! C'est une idée comme ça, ça ne me plaît pas. Je pense que je suis libre de faire ce que je veux, tout de même ! Si j'avais besoin d'argent, je comprends…" Le concierge a ordre de ne plus la laisser entrer. Il dira que je suis à la campagne. Ah ! j'aurais voulu que tu sois caché quelque part. Je crois que tu aurais été content, mon chéri. Elle a du bon, tout de même, tu vois, ta petite Odette, quoiqu'on la trouve si détestable. "

» D'ailleurs ses aveux même, quand elle lui en faisait, de fautes qu'elle le supposait avoir découvertes, servaient plutôt pour Swann de point de départ à de nouveaux doutes qu'ils ne mettaient un terme aux anciens. Car ils n'étaient jamais exactement proportionnés à ceux-ci. Odette avait eu beau retrancher de sa confession tout l'essentiel, il restait dans l'accessoire quelque chose que Swann n'avait jamais imaginé, qui l'accablait de sa nouveauté et allait lui permettre de changer les termes du problème de sa jalousie. Et ces aveux, il ne pouvait plus les oublier. Son âme les charriait, les rejetait, les berçait, comme des cadavres. Et elle en était empoisonnée[1]. »

---

1. *Ibid.*, p. 295-296.

5

L'illusion

« L'amour le plus exclusif pour une personne est toujours l'amour d'autre chose. »

(*À l'ombre des jeunes filles en fleurs.*)

Dans le deuxième tome de la Recherche, *le narrateur
vient juste de rencontrer Albertine et ses amis à Balbec. Il
y a le ciel, le soleil, la mer et ces jolies demoiselles qui ont
le pouvoir de redonner un peu d'espoir au jeune héros, trop
souvent mélancolique. Il affirme d'emblée les aimer toutes,
mais ne sait pas si ce serait le cas dans d'autres circons-
tances, et au milieu d'autres paysages. Aime-t-il ces jeunes
filles, ou aime-t-il surtout l'atmosphère qui les entoure ?
Grande question pour le narrateur qui pense aimer, qui
croit aimer, mais qui passe le plus souvent à côté de l'amour
même.*

* * *

L'amour est toujours décrit chez Proust comme « un
mauvais sort », « un état morbide », « une folie », « un
mal sacré », « une torture réciproque ». L'amour y est
donc tout le contraire du bonheur. S'il le caractérise
comme un mauvais sort, c'est que le hasard seul en
dispose. Il y avait à Balbec dix autres jeunes filles tout

aussi charmantes qu'Albertine, dont le narrateur aurait pu être amoureux. Longtemps, il avait même hésité à fixer ses rêves sur Andrée ou sur Gisèle plutôt que sur Albertine. Deux raisons conspirent en outre à faire de l'amour une sorte de maléfice. La première est qu'on le reconnaît bien plus par la souffrance qu'il nous fait éprouver que par le plaisir qu'il nous donne. La seconde est qu'on le subit comme une fatalité. Quoiqu'on aspire à s'en délivrer, on ne cesse d'en souffrir qu'en ayant cessé d'aimer.

Cette souffrance de l'amour a deux causes. La première est qu'on ne désire que ce qu'on ne possède pas. La deuxième est qu'il suffit de posséder ce qu'on aime pour ne plus même comprendre ce qui nous l'avait fait désirer. Enfin, comme on le voit par les exemples de Swann et du narrateur, c'est la souffrance de la jalousie qui nous révèle notre amour en associant la présence de la femme aimée à la fin de notre souffrance. C'est parce qu'elle est absente que je souffre, et c'est cette souffrance qui m'apprend que je l'aime. Autant dire, par conséquent, que l'amour est si indissociable de la souffrance qu'il n'y a qu'elle pour nous le révéler.

Aussi comprend-on que l'amour s'ensuit d'une triple illusion. La première consiste à confondre la fin d'une souffrance avec le commencement d'un bonheur, comme Swann confond le besoin de voir Odette avec le plaisir d'être auprès d'elle. De cette confusion s'ensuivent tous les malentendus et toutes les désillusions. Car on n'a en fait échappé à la souffrance qu'en tombant dans l'ennui. « Vivez tout à fait avec une femme, dit Proust, et vous ne verrez plus rien de ce qui vous l'avait fait aimer. »

La deuxième illusion consiste à espérer saisir dans la réalité, dans la présence concrète d'une personne, tout ce que son absence nous en avait fait imaginer. Or aucune réalité ne peut correspondre au prestige de ce que notre imagination nous en faisait attendre. Le narrateur avait imaginé Albertine comme quelque « muse orgiaque du golf ». Dès qu'il l'eut enfermée chez lui, « la chatoyante actrice de la plage était devenue la grise prisonnière ».

La troisième illusion nous fait attribuer à la personne que nous aimons tout ce dont notre imagination nous avait envoûtés, et qui nous l'avait fait aimer. Ainsi le narrateur n'avait-il aimé Gilberte que pour en avoir associé l'image aux descriptions des cathédrales par Bergotte. De même Swann ne devint-il amoureux d'Odette qu'en découvrant sa ressemblance avec Zéphora, la fille de Jéthro, dans un tableau de Botticelli. Aussi Proust établit-il comme un théorème que « l'amour le plus exclusif pour une personne est toujours l'amour d'autre chose ». Il y a donc, à l'origine de tout amour, une sorte d'illusion, de méprise ou de quiproquo. Cette illusion consiste à prendre pour des propriétés objectives de la personne les fantasmes subjectifs que produit notre imagination à son sujet. Comme dans un rêve, l'irréel y a toute l'obsédante prégnance de la réalité, et nous ne voyons pas plus la réalité que si elle n'existait pas. Aussi sort-on d'un amour de la même façon qu'on s'éveille d'un rêve. C'est ce qui faisait dire à Swann qu'il n'avait poursuivi que des fantômes, comme Proust reconnaissait dans l'illusion amoureuse « un exemple frappant du peu qu'est la réalité pour nous ».

Dans « Un amour de Swann », Swann apporte à Odette une gravure dont il lui avait parlé. Il s'agit de la reproduction d'une fresque de Sandro di Mariano, alias Botticelli, sur laquelle est représentée Zéphora, épouse de Moïse et fille de Jéthro. Ce texte canonique est aussi très expressif du caractère métonymique, presque fétichiste, de l'amour chez Proust.

« Il la regardait ; un fragment de la fresque apparaissait dans son visage et dans son corps, que dès lors il chercha toujours à y retrouver, soit qu'il fût auprès d'Odette, soit qu'il pensât seulement à elle, et bien qu'il ne tînt sans doute au chef-d'œuvre florentin que parce qu'il le retrouvait en elle, pourtant cette ressemblance lui conférait à elle aussi une beauté, la rendait plus précieuse. Swann se reprocha d'avoir méconnu le prix d'un être qui eût paru adorable au grand Sandro, et il se félicita que le plaisir qu'il avait à voir Odette trouvât une justification dans sa propre culture esthétique. Il se dit qu'en associant la pensée d'Odette à ses rêves de bonheur il ne s'était pas résigné à un pis-aller aussi imparfait qu'il l'avait cru jusqu'ici, puisqu'elle contentait en lui ses goûts d'art les plus raffinés. Il oubliait qu'Odette n'était pas plus pour cela une femme selon son désir, puisque précisément son désir avait toujours été orienté dans un sens opposé à ses goûts esthétiques. Le mot d'"œuvre florentine" rendit un grand service à Swann. Il lui permit, comme un titre, de faire pénétrer l'image d'Odette dans un monde de rêves, où elle n'avait pas eu accès jusqu'ici et où elle s'imprégna de noblesse. Et, tandis que la vue purement charnelle qu'il avait eue de cette femme, en renouvelant perpétuellement ses doutes sur la qualité de son visage, de son corps, de toute sa beauté, affaiblissait son amour, ces doutes furent détruits, cet amour assuré quand il eut à la place pour base les données d'une esthétique certaine ; sans compter que le baiser et la possession qui semblaient naturels et médiocres s'ils lui étaient accordés par une chair abîmée, venant couronner l'adoration d'une pièce de musée, lui parurent devoir être surnaturels et délicieux.

» Et quand il était tenté de regretter que depuis des mois il ne fît plus que voir Odette, il se disait qu'il était raisonnable de donner beaucoup de son temps à un chef-d'œuvre inestimable, coulé pour une fois dans une matière différente et particulièrement savoureuse, en un exemplaire rarissime qu'il contemplait tantôt avec l'humilité, la spiritualité et le désintéressement d'un artiste, tantôt avec l'orgueil, l'égoïsme et la sensualité d'un collectionneur.

» Il plaça sur sa table de travail, comme une photographie d'Odette, une reproduction de la fille de Jéthro. Il admirait les grands yeux, le délicat visage qui laissait deviner la peau imparfaite, les boucles merveilleuses des cheveux le long des joues fatigués, et adaptant ce qu'il trouvait beau jusque-là d'une façon esthétique à l'idée d'une femme vivante, il le transformait en mérites physiques qu'il se félicitait de trouver réunis dans un être qu'il pourrait posséder. Cette vague sympathie qui nous porte vers un chef-d'œuvre que nous regardons, maintenant qu'il connaissait l'original charnel de la fille de Jéthro, elle devenait un désir qui suppléa désormais à celui que le corps d'Odette ne lui avait pas d'abord inspiré. Quand il avait regardé longtemps ce Botticelli, il pensait à son Botticelli à lui qu'il trouvait plus beau encore et, approchant de lui la photographie de Zéphora, il croyait serrer Odette contre son cœur[1]. »

---

1. *Ibid.*, p. 185.

V

L'imaginaire

par

Julia Kristeva

Portrait de lecteur

« Tâchez de garder toujours un morceau de ciel au-dessus de votre vie. »

(*Du côté de chez Swann.*)

M. Legrandin donne ce précieux conseil au narrateur au début du roman. À peine a-t-il rencontré le jeune héros que cet ingénieur à la fibre littéraire voit déjà en lui une nature d'artiste, et lui intime de se préserver de la violente réalité afin de conserver sa « jolie âme ». Ce qu'il suggère ainsi à l'enfant, c'est de garder une porte ouverte sur l'imaginaire… Celui-ci se construit, tout au long de la Recherche, *à travers une écriture qui explore non pas la vie psychique, mais la vie intime. Car Proust voulait rendre le monde sensible à son lecteur et, au lieu de le décrire, le « traduire ».*

* * *

J'ai appris la langue française dans mon pays natal, la Bulgarie. Lorsque mon français s'est suffisamment amélioré pour que notre professeur puisse nous donner à lire des textes importants, j'ai découvert Proust à travers deux phrases : « Les beaux livres sont écrits dans une sorte de langue étrangère », et « Le devoir et la tâche d'un écrivain sont ceux d'un traducteur ».

Ces propos ont étrangement résonné pour moi avec la Fête de l'alphabet qui est, dans mon pays natal, un événement unique au monde. Tous les 24 mai, les écoliers mais aussi les intellectuels, les professeurs, les écrivains manifestent en arborant une lettre. J'étais une lettre, puisque j'en portais une épinglée à mon chemisier, sur mon corps, dans mon corps. Le verbe s'était fait chair et la chair se faisait mots. Je me diluais dans les chansons, dans les parfums, dans la liesse de cette foule. En lisant ces mots de Proust, j'ai eu le sentiment qu'ils faisaient état de quelque chose que j'avais vécu : il s'agissait d'entrer au fond de moi-même comme dans un livre chiffré et charnel pour le traduire dans un autre, à faire lire et partager. Ce travail d'interprétation du texte allait devenir par la suite mon métier. J'ai essayé de l'appliquer à Mallarmé, à Céline et à d'autres écrivains dont Proust évidemment. Absolument.

L'écrivain, comme le conçoit Proust, habite dans un univers troublant et tourbillonnant de sensorialité, au plus intime de l'intime. À travers ses phrases infinies, pleines de saveurs et de philosophies nouvelles, il parvient à donner l'impression de la multiplicité et de la fluctuation du sens. Ce mouvement de kaléidoscope qui caractérise l'écriture proustienne témoigne de sa résistance à la littérature de notations, mais aussi à la mode naissante du cinématographe. Fort de cette expérience intérieure, Proust est convaincu que le cinéma linéaire rate l'essentiel que seul l'art littéraire peut induire grâce à cette phrase longue, qui joue des souvenirs et des métaphores ; mais tout autant grâce aux personnages qui sont aussi bien des *statues* représentants des acteurs historiques que des *projections* personnelles. Les statues s'effritent donc, et nous donnent à nous, lecteurs, la possibilité de projeter nos constructions intimes.

Écrire, après Proust, est pour le moins intimidant. J'écris la nuit, des romans surtout, et parfois il m'arrive de prendre des pages de la *Recherche*, de les goûter et entendre, de les incorporer et dans cet état un peu hallucinatoire, de me couler dans la langue française, une langue d'accueil qui est maintenant *ma* langue, vigilante et sensible. C'est plus qu'un exercice, la lecture de Proust est une véritable expérience, à laquelle, je crois, tout écrivain devrait s'ouvrir pour trouver sa propre voie. Mais le chemin est tracé par le « petit Marcel ».

Dans *Le Temps retrouvé*, le narrateur s'autorise une digression, et explique ce que doivent être, selon lui, la tâche et la mission de l'écrivain.

« Si la réalité était cette espèce de déchet de l'expérience, à peu près identique pour chacun, parce que quand nous disons : un mauvais temps, une guerre, une station de voitures, un restaurant éclairé, un jardin en fleurs, tout le monde sait ce que nous voulons dire ; si la réalité était cela, sans doute une sorte de film cinématographique de ces choses suffirait et le "style", la "littérature" qui s'écarteraient de leurs simples données seraient un hors-d'œuvre artificiel. Mais était-ce bien cela, la réalité ? Si j'essayais de me rendre compte de ce qui se passe en effet au moment où une chose nous fait une certaine impression, soit comme ce jour où, en passant sur le pont de la Vivonne, l'ombre d'un nuage sur l'eau m'avait fait crier "Zut alors !" en sautant de joie, soit qu'écoutant une phrase de Bergotte, tout ce que j'eusse vu de mon impression c'est ceci qui ne lui convient pas spécialement : "C'est admirable", soit qu'irrité d'un mauvais procédé, Bloch prononçât ces mots qui ne convenaient pas du tout à une aventure si vulgaire : "Qu'on agisse ainsi, je trouve cela tout de même fffantastique", soit quand, flatté d'être bien reçu chez les Guermantes, et d'ailleurs un peu grisé par leurs vins, je ne pouvais m'empêcher de dire à mi-voix, seul, en les quittant : "Ce sont tout de même des êtres exquis avec qui il serait doux de passer la vie", je m'apercevais que ce livre essentiel, le seul livre vrai, un grand écrivain n'a pas, dans le sens courant, à l'inventer puisqu'il existe déjà en chacun de nous, mais à le traduire. Le devoir et la tâche d'un écrivain sont ceux d'un traducteur [1]. »

1. Marcel Proust, *À la recherche du temps perdu*, Paris, Gallimard, coll. « Quarto », 1999, p. 2280-2281.

Écrire la sensation

> « Notre passé [...] est caché [...] en quelque objet matériel [...] que nous ne soupçonnons pas. »
>
> (*Du côté de chez Swann.*)

Quelques lignes après le drame du coucher, le narrateur tente de rassembler ses souvenirs de la maison de Combray. La lumière, l'escalier, quelques pièces et bien sûr sa chambre lui reviennent à l'esprit. Mais il constate pour l'adulte qu'il est devenu, que tout cela est désormais mort pour lui. Est-ce pour autant « mort à jamais » ? Le héros n'en est pas si sûr et reste persuadé qu'il est possible de retrouver ce passé grâce à un « objet » que le hasard voudra bien mettre sur son chemin. Il a alors l'intuition de quelque chose d'immense – la mémoire involontaire – qui sera le terreau de son livre, et qui va bientôt prendre la forme d'une madeleine.

★ ★ ★

La madeleine est le blason de Proust. Elle apparaît juste après la célèbre scène du coucher, au début du livre : le narrateur se trouve dans sa maison à Illiers, deux étages, réduits à une sorte de pan lumineux. Arrivée inopportune de M. Swann qui prive l'enfant de sa mère. Inconsolable, il rentre dans sa chambre et traverse un moment de chagrin. Il s'agit d'un traumatisme de séparation avec l'objet d'amour originel : instant insupportable et tellement douloureux que le narrateur l'a effacé de son esprit. Mais, puisque « les idées sont des succédanés des chagrins », la tristesse sera traversée. L'enfance est-elle morte ? Peut-on la retrouver, l'embrasser de nouveau ?

Certains pans du passé peuvent se retrouver dans quelques éléments insignifiants, à l'instar de l'« un de ces gâteaux cours et dodus appelés Petites Madeleines qui semblent avoir été moulés dans la valve rainurée d'une coquille de Saint-Jacques » que le narrateur déguste un jour d'hiver avec sa mère autour d'une tasse de thé. Le passé – tel les âmes mortes dans les croyances celtes – se réveillera-t-il, comme il le fera dans d'autres pages de la *Recherche*, à travers l'odeur des aubépines, ou la beauté des clochers de Martinville ?

Proust nous invite alors à un véritable voyage spirituel, dont les divers paliers nous font vivre et apprécier les délicieux fragments d'une réalité subtile. L'innocente madeleine condense ce qu'il appelle les « intermittences du cœur » touchant, par-delà l'enfance, au trouble de la profanation et à l'impensable de la mort.

En effet, la « petite madeleine » interroge le narrateur et le fait sentir moins « médiocre, contingent, mortel », « de la même façon qu'opère l'amour ». À travers elle, Proust nous transmet étape par étape les

vibrations de ce qu'il faut bien appeler une *excitation*.
Le gâteau touche le palais et ce ressenti le plus infan-
tile, le plus archaïque de l'être vivant qu'est le goût,
déclenche, dit-il, quelque chose d'« extraordinaire »
en lui. Il décrit le plaisir gustatif, apparemment des
plus sobres et extrêmement pudique, comme s'il était
un éprouvé sexuel. Un plaisir sans cause (la « cause »,
maman, est restée dans le salon), rapproche le souvenir sensoriel de l'état amoureux : ça « tressaille » et ça
« monte ». Le narrateur trouve enfin la joie, la petite
madeleine devient un antidépresseur qui lui permet
d'échapper au chagrin de la médiocrité existentielle.
Il se bouche les oreilles, essaie de comprendre, fait
le vide et finalement se rend compte que cet *amour*
de quelque chose d'inconnu, peut-être d'inconnaissable, ne vient pas de l'*objet*, mais de *lui-même*. L'auteur se confronte à une réalité qui n'est pas encore :
c'est lui qui est en train de la produire. L'écrivain
fait entendre ici qu'*À la recherche du temps perdu* n'est
pas seulement la recherche d'un passé. L'écriture est
une recréation du passé, la formulation d'une *poiesis*.
Proust ausculte, en lui-même, la capacité de créer un
monde imaginaire. Il découvre que le sens de la vie
n'est pas à l'extérieur, mais réside dans son initia-
tive imaginaire : dans sa propre manière de créer des
mots et de réinventer les sensations.

Le gâteau le plus célèbre de la littérature française apparaît dès les premières pages de la *Recherche*,

lorsque le narrateur se souvient du jour où sa mère
lui apporta une tasse de thé accompagnée d'une
madeleine.

« Il y avait déjà bien des années que, de Combray, tout ce qui n'était pas le théâtre et le drame
de mon coucher, n'existait plus pour moi, quand
un jour d'hiver, comme je rentrais à la maison, ma
mère, voyant que j'avais froid, me proposa de me
faire prendre, contre mon habitude, un peu de thé.
Je refusai d'abord et, je ne sais pourquoi, me ravi-
sai. Elle envoya chercher un de ces gâteaux courts et
dodus appelés Petites Madeleines qui semblent avoir
été moulés dans la valve rainurée d'une coquille de
Saint-Jacques. Et bientôt, machinalement, accablé par
la morne journée et la perspective d'un triste lendemain, je portai à mes lèvres une cuillerée du thé où
j'avais laissé s'amollir un morceau de madeleine. Mais
à l'instant même où la gorgée mêlée des miettes du
gâteau toucha mon palais, je tressaillis, attentif à ce
qui se passait d'extraordinaire en moi. Un plaisir délicieux m'avait envahi, isolé, sans la notion de sa cause.
Il m'avait aussitôt rendu les vicissitudes de la vie indif-
férentes, ses désastres inoffensifs, sa brièveté illusoire,
de la même façon qu'opère l'amour, en me remplis-
sant d'une essence précieuse : ou plutôt cette essence
n'était pas en moi, elle était moi. J'avais cessé de me
sentir médiocre, contingent, mortel. D'où avait pu me
venir cette puissante joie ? Je sentais qu'elle était liée
au goût du thé et du gâteau, mais qu'elle le dépassait
infiniment, ne devait pas être de même nature. D'où
venait-elle ? Que signifiait-elle ? Où l'appréhender ? Je
bois une seconde gorgée où je ne trouve rien de plus

que dans la première, une troisième qui m'apporte un peu moins que la seconde. Il est temps que je m'arrête, la vertu du breuvage semble diminuer. Il est clair que la vérité que je cherche n'est pas en lui, mais en moi. Il l'y a éveillée, mais ne la connaît pas, et ne peut que répéter indéfiniment, avec de moins en moins de force, ce même témoignage que je ne sais pas interpréter et que je veux au moins pouvoir lui redemander et retrouver intact, à ma disposition, tout à l'heure, pour un éclaircissement décisif. Je pose la tasse et me tourne vers mon esprit. C'est à lui de trouver la vérité. Mais comment? Grave incertitude, toutes les fois que l'esprit se sent dépassé par lui-même; quand lui, le chercheur, est tout ensemble le pays obscur où il doit chercher et où tout son bagage ne lui sera de rien. Chercher? pas seulement: créer. Il est en face de quelque chose qui n'est pas encore et que seul il peut réaliser, puis faire entrer dans sa lumière[1]. »

---

1. *Ibid.*, p. 44-45.

3

Le regard

> « Le seul véritable voyage, [...] ce ne serait
> pas d'aller vers de nouveaux paysages, mais
> d'avoir d'autres yeux. »
>
> (*La Prisonnière*.)

*Le narrateur prononce cette phrase alors qu'il est en train
d'écouter le septuor de Vinteuil chez les Verdurin. C'est la
première fois qu'il entend cette musique qui le transporte
en pays inconnu et lui fait ressentir intensément le monde.
Le musicien Vinteuil parvient ainsi à le faire voyager, et à
lui faire percevoir l'univers autrement. Il s'agit là du sens
figuré de la vision. Mais les yeux, dans la* Recherche, *ont
aussi un rôle d'observation, le narrateur se plaisant à scru-
ter, et même à « radiographier » le réel. Il a, comme l'une
des amies de Proust aimait le souligner à propos de l'écrivain lui-même, un « œil velu de mouche » qui porte une
attention excessive aux choses qui l'entourent.*

* * *

Colette considérait Proust comme un prophète, une
personne qui avait le pouvoir de voir plus loin, plus
profond que les autres. En effet, il possédait un regard
intense, qui ne voyait pas des images mais éprouvait

un tourbillon de sensations. C'est la pulsion du désir dans le temps qui apparaît sous ses yeux, lui imposant de traduire en vision une complexité sensorielle. Proust ne peut donc se réduire à ce qui est de l'ordre du visible. À l'instar des peintres, et surtout des Impressionnistes, il souhaite au contraire insérer dans le visible l'intensité de ses perceptions. Ainsi, Proust – et bien sûr le narrateur – est un voyant, mais aussi un voyeur. Il regarde, « radiographie » et espionne. Il se cache pour observer Mademoiselle de Vinteuil en train d'embrasser une autre jeune fille, ou place son œil à travers le trou d'un mur, assistant à la flagellation de Charlus. Mais cette transgression a un but précis : il veut capter la douleur, et la scène de Charlus est en ce sens très révélatrice.

Un jour, souhaitant se reposer, le narrateur s'arrête dans la maison de passe tenue par Jupien. En se dirigeant vers la chambre qu'on lui indique, il entend des plaintes : c'est le baron de Charlus qui geint de plaisir sous le coup d'un fouet. Ces cris le renvoient à sa propre souffrance-plaisir, celle de l'enfant qui se sépare de la mère, du jeune homme asthmatique, du juif qui est écarté des salons mais dans lesquels il réussira à trouver sa place, de l'écrivain qui cherche ses mots… Toutes ces douleurs qui sont pour lui la voie obligée de la création.

Proust a noué un lien particulier avec le personnage de Charlus. Ce noble, qui représente une certaine France sur le déclin, est un célibataire de l'art car il croit trop au désir. Une sorte d'addiction qui l'empêche d'écrire. Homme de douleur, Charlus ne sera jamais écrivain.

Cet épisode romanesque est inspiré d'une expérience vécue par Proust que raconte Céleste Albaret, sa gouvernante, dans un document extraordinaire. De retour de chez Le Cuziat – une célèbre maison de passe parisienne –, Marcel aurait assisté à la même scène de flagellation que celle décrite dans le roman, sans en être écœuré le moins du monde. Son enthousiasme la déroute, et Céleste, qui écoute attentivement, se sent elle-même fouettée, elle éprouve la douleur – de Charlus ou de Proust ? – à travers les mots de l'écrivain. L'indécence du récit de Proust – et du narrateur – fait de lui un « délicat monstrueux », dont les sens sont exaltés au contact avec l'insoutenable. Mais en mère délicate, ou en psychanalyste avant la lettre, cette femme du peuple admire et restitue, dans le livre de ses souvenirs, le déroulement du processus créateur chez l'écrivain : il a besoin de voir souffrir, de souffrir de cette vision et du souvenir lui-même, mais aussi de fouetter sa confidente avec ces paroles, et ainsi seulement de s'apaiser pour rechercher la meilleure façon de le dire, de l'écrire.

Notre société commence tout juste à décriminaliser la perversion et à comprendre comment elle fait partie de l'intime : le sadomasochisme, l'homosexualité, la jalousie, etc. Proust l'a fait il y a plus d'un siècle, et de manière délicate, sans se poser comme partisan d'aucune cause ou communauté. Et il n'a cessé de cultiver sa vision complexe de l'homosexualité : à la fois une race maudite, et un clan d'élus. Comme le juif, comme l'écrivain aussi, l'homosexuel, à cette époque, est un marginal. Mais c'est aussi sa chance, pour dire la vérité des clans.

Écrire, pour lui, est une traversée de la souffrance par les mots : la souffrance que vous avez subie ou que vous vous infligez vous-mêmes. Le supplice serait la voie obligée de l'incarnation, mais aussi la voie obligée de l'écriture. Ce qui ne veut pas dire qu'il faille se vouer à la plainte, la sacraliser. Au contraire, c'est en élucidant la souffrance qu'il est possible d'en rire. Sans s'en débarrasser, mais en mettant à nu les vrais ressorts des liens humains qui entretiennent le sadomasochisme dans les « intermittences des cœurs ». Ainsi seulement, il serait possible de porter la douleur au rire, à l'ironie, au sarcasme. Une certaine joie. Pour de vrai.

En pleine nuit, perdu dans les rues sombres de la capitale, le narrateur accablé de fatigue décide de s'arrêter dans ce qu'il pense être un hôtel. Alors il monte les marches, ouvre la porte de la bâtisse, et se retrouve malgré lui dans la maison de passe de Jupien. Le giletier, et amant du baron de Charlus, lui indique une chambre dans laquelle il pourra se reposer.

« Bientôt on me fit monter dans la chambre 43, mais l'atmosphère était si désagréable et ma curio-

sité si grande que, mon "cassis" bu, je redescendis
l'escalier, puis, pris d'une autre idée, le remontai et,
dépassant l'étage de la chambre 43, allai jusqu'en
haut. Tout d'un coup, d'une chambre qui était isolée
au bout d'un couloir me semblèrent venir des plaintes
étouffées. Je marchai vivement dans cette direction et
appliquai mon oreille à la porte. "Je vous en supplie,
grâce, grâce, pitié, détachez-moi, ne me frappez pas si
fort, disait une voix. Je vous baise les pieds, je m'humi-
lie, je ne recommencerai pas. Ayez pitié. – Non, cra-
pule, répondit une autre voix, et puisque tu gueules
et que tu te traînes à genoux, on va t'attacher sur le
lit, pas de pitié", et j'entendis le bruit du claquement
d'un martinet probablement aiguisé de clous car il
fut suivi de cris de douleur. Alors je m'aperçus qu'il y
avait dans cette chambre un œil-de-bœuf latéral dont
on avait oublié de tirer le rideau ; cheminant à pas de
loup dans l'ombre, je me glissai jusqu'à cet œil-de-
bœuf, et là, enchaîné sur un lit comme Prométhée sur
son rocher, recevant les coups d'un martinet en effet
planté de clous que lui infligeait Maurice, je vis, déjà
tout en sang, et couvert d'ecchymoses qui prouvaient
que le supplice n'avait pas lieu pour la première fois,
je vis devant moi M. de Charlus [1]. »

1. *Ibid.*, p. 2222-2223.

4

Le sommeil et le rêve

« Nous sommes tous obligés pour rendre la réalité supportable d'entretenir en nous quelques petites folies. »

(À l'ombre des jeunes filles en fleurs.)

Dans le deuxième tome du roman, le narrateur commence sérieusement à s'interroger sur l'amour et ses difficultés. À la suite d'un malentendu, il ne parle plus à celle qu'il aime, la petite Gilberte, mais espère une réconciliation rapide. Les « petites folies » dont il parle, ce sont donc ces espoirs nécessaires qui lui permettent de croire en des temps meilleurs et de continuer à vivre. Et c'est un exemple parmi d'autres du besoin de rêve à l'œuvre dans la Recherche. *Contre une réalité qui ne cesse d'être décevante, le héros, lecteur des* Mille et une Nuits, *semble avoir trouvé la parade idéale. Jamais pleinement endormi, ni totalement éveillé, il joue avec les frontières du songe.*

* * *

À la recherche du temps perdu s'ouvre sur l'image d'un homme qui s'endort, qui tente plutôt de s'endormir. Mais en avançant dans son écriture, Proust parvient à mettre en mots un rêve si profond et paradoxal, qu'il l'appelle le rêve du « second appartement » : un monde à part, une descente en soi, dans laquelle le moi perd ses limites. Une hallucination sans objet, sans personne, au cœur de laquelle le dormeur est dans un état de quasi-mort psychique. Le sommeil proustien évoque ici la caverne sensorielle de Platon, ce lieu où l'homme, enfermé, est privé de toute présence humaine, d'interactions avec l'extérieur. Le narrateur utilise souvent dans ce texte les métaphores de l'attelage, du soleil, de la lumière qui suggèrent ce non-être, cet irréel. Sans *alter ego*, sans dialogue, sans communication, seules quelques ombres apparaissent, qui nous détachent de la « réalité ». Il n'y a pas de « réalité ».

Hormis ce rêve qui témoigne de l'extrême familiarité de Proust avec les états-limites de la vie psychique, le sommeil est fréquemment pour lui un tremplin vers la rêverie qui s'emboîte aisément dans la narration. Un rien amène le narrateur à ces états oniriques : un nom, un visage, un paysage… Il les associe à l'imagination, « mon seul organe pour jouir de la beauté », écrit-il. Ni extravagants, ni invraisemblables, ils le conduisent aux limites de la personnalité et font de lui un explorateur d'espaces psychiques inconnus, ou peu connus à son époque, et que nous commençons à peine à aborder. Proust n'est pas un rêveur à la manière des surréalistes qui envisageaient le rêve tantôt diabolique, tantôt prophétique. Le rêve proustien touche aux éclipses de l'identité et au bord de l'indicible. Par l'écriture de ces plongées infraoniriques, le narrateur essaie d'aller là où il n'y a pas de souvenirs, et le temps lui-même s'abolit.

Il a frôlé des états extrêmes que la clinique psychanalytique apprivoise aujourd'hui. Dans l'autisme, certaines personnes éprouvent un débordement de sensations qui les annule, de telle sorte qu'elles ne peuvent pas se les approprier, ne peuvent pas en parler, elles en sont englouties. Dans cette catastrophe psychique il n'y a pas de moi : ni compréhension, ni souvenir, pas d'espace ni de temps. L'audace extraordinaire de Proust, au contraire, descend jusqu'à ces états limites et revient pour poser des mots, pour nous faire partager l'innommé. Dans cette capacité à peindre, avec une étonnante sobriété, cette expérience paroxystique, je découvre une nouvelle et bouleversante modernité d'un Proust explorateur. Il parvient à rendre communicable ce que la psychanalyste anglaise Frances Tustin appelle un « autisme endogène » qui nous habite tous et nous fragilise, mais que des rares œuvres d'art parviennent à contacter et à traverser.

Ainsi donc, par l'écriture du sommeil et des rêves, le narrateur échappe enfin au temps. Il s'arrache du monde de la communication, abandonne le monde du désir, fût-il le plus violent désir d'amour à mort, et oublie même le sarcasme –, afin de toucher les limites du psychisme. L'audace, qui est la sienne, est d'avoir osé parler de cette expérience des profondeurs, en démontrant que la littérature est capable de penser ces risques davantage et mieux que ne le font

philosophie et sciences. Lui qui dormait très mal, qui
rêvait les yeux ouverts, serait-il le romancier du sommeil? Et un précurseur de la recherche à venir?

Dans la seconde partie de *Sodome et Gomorrhe*, le
narrateur, qui tombe de fatigue, décrit les étapes du
sommeil profond.

« Peut-être chaque soir acceptons-nous le risque de
vivre, en dormant, des souffrances que nous considé-
rons comme nulles et non avenues parce qu'elles seront
ressenties au cours d'un sommeil que nous croyons
sans conscience. En effet, ces soirs où je rentrais tard
de La Raspelière, j'avais très sommeil. Mais dès que les
froids vinrent, je ne pouvais m'endormir tout de suite
car le feu éclairait comme si on eût allumé une lampe.
Seulement ce n'était qu'une flambée, et – comme une
lampe aussi, comme le jour quand le soir tombe – sa
trop vive lumière ne tardait pas à baisser; et j'entrais
dans le sommeil, lequel est comme un second appartement que nous aurions et où, délaissant le nôtre, nous
serions allé dormir. Il a des sonneries à lui, et nous y
sommes quelquefois violemment réveillés par un bruit
de timbre, parfaitement entendu de nos oreilles, quand
pourtant personne n'a sonné. Il a ses domestiques, ses
visiteurs particuliers qui viennent nous chercher pour
sortir, de sorte que nous sommes prêts à nous lever
quand force nous est de constater, par notre presque
immédiate transmigration dans l'autre appartement,
celui de la veille, que la chambre est vide, que personne n'est venu. La race qui l'habite, comme celle des
premiers humains, est androgyne. Un homme y appa-

raît au bout d'un instant sous l'aspect d'une femme. Les choses y ont une aptitude à devenir des hommes, les hommes des amis et des ennemis. Le temps qui s'écoule pour le dormeur, durant ces sommeils-là, est absolument différent du temps dans lequel s'accomplit la vie de l'homme réveillé. Tantôt son cours est beaucoup plus rapide, un quart d'heure semble une journée ; quelquefois beaucoup plus long, on croit n'avoir fait qu'un léger somme, on a dormi tout le jour. Alors, sur le char du sommeil, on descend dans des profondeurs où le souvenir ne peut plus le rejoindre et en deçà desquelles l'esprit a été obligé de rebrousser chemin. L'attelage du sommeil, semblable à celui du soleil, va d'un pas si égal, dans une atmosphère où ne peut plus l'arrêter aucune résistance, qu'il faut quelque petit caillou aérolithique étranger à nous (dardé de l'azur par quel Inconnu ?) pour atteindre le sommeil régulier (qui sans cela n'aurait aucune raison de s'arrêter et durerait d'un mouvement pareil jusque dans les siècles des siècles) et le faire, d'une brusque courbe, revenir vers le réel, brûler les étapes, traverser les régions voisines de la vie – où bientôt le dormeur entendra, de celle-ci, les rumeurs presque vagues encore, mais déjà perceptibles, bien que déformées – et atterrir brusquement au réveil. Alors de ces sommeils profonds on s'éveille dans une aurore, ne sachant qui on est, n'étant personne, neuf, prêt à tout, le cerveau se trouvant vidé de ce passé qui était la vie jusque-là [1]. »

---

1. *Ibid.*, p. 1493-1494.

5

Proust, auteur moderne

« En être ou […] ne pas en être. »
(Sodome et Gomorrhe.)

C'est en ces termes que Robert de Saint-Loup, l'ami du narrateur, désigne le salon des Verdurin. Il ne souhaite pas appartenir à cette « secte », et ne souhaite surtout pas y être introduit. Saint-Loup s'oppose ainsi au narrateur et au baron de Charlus, qui font partie de ce cercle mondain et répondent à toutes ses invitations. Il y aurait donc deux possibilités de se comporter dans le monde pour l'auteur : il suffit juste de choisir son clan… Cela paraît simple pour les personnages d'À la recherche du temps perdu. Cela l'a moins été peut-être pour Marcel Proust lui-même qui a porté toute sa vie la question de son identité sociale. Juif et catholique, solitaire et mondain : Proust fut soumis à cette dualité, un clivage qu'il n'a cessé de fuir, et qui gouverne encore l'image que nous nous faisons de lui aujourd'hui.

* * *

Il est impossible de parler de Proust, de ses conflits, de ses souffrances, de sa force, sans aborder sa double appartenance sociale, culturelle, religieuse. Enfant fragile, il est né pendant la Commune de Paris, d'une mère juive et d'un père catholique. Toute sa vie, il essaie de ne pas « appartenir », évite d'être assimilé à un groupe. Le dilemme pour lui n'est pas celui de Hamlet, « être ou ne pas être », mais surtout « en être ou ne pas en être ». Par cette attitude, il fustige la société française qui, selon lui, a fait de *l'appartenance* la condition de toute *existence*. Il n'aime pas les étiquettes, préférant se tenir à la périphérie de toutes choses, gardant une vigilance extrême à l'égard des enfermements claniques, et de ce que nous appelons aujourd'hui les communautarismes, ce qui ne l'empêche pas de prendre parti pour certaines causes.

Ainsi, la mention assez fréquente à Alfred Dreyfus dans le roman témoigne de l'intérêt que portait Proust à « l'Affaire ». Il fut très engagé, organisant avec ses amis Jacques Bizet, Robert de Flers, Léon Brunschvicg, Louis de la Salle et les deux frères Halévy, le *Manifeste des cent quatre* qui, au bout d'un mois, comptait trois mille signatures. Mais il sera très vite déçu, en apprenant notamment la corruption qui n'épargnait pas son propre camp, et finira par se détacher de l'Affaire et balayer toute forme d'engagement.

Il s'est résolument éloigné d'un certain anticléricalisme dogmatique qui voulait fermer les cathédrales. Agnostique et très satirique à l'égard de la crédulité, Proust s'insurge violemment contre les tentatives non moins obscurantistes d'abolir cette mémoire culturelle qui faisait le mystère Combray-Illiers, dont il faisait lui-même partie, et dans laquelle il souhaitait s'inscrire pour mériter sa place au Panthéon des lettres françaises. Le roman, plutôt qu'un essai contre Sainte-Beuve, devait réaliser cette rivalité avec les rosaces et les orgues des églises, comme avec ces sommets de classicisme français que sont les écrits d'une Sévigné et d'un Saint-Simon.

Dépasser l'art chrétien, fût-il l'art gothique des cathédrales ou celui baroque de Venise. Se réincarner dans la cruelle délicatesse de Françoise la paysanne, dans la bourgeoisie décadente et ridicule des Verdurin, dans la hautaine noblesse périmée des Greffulhe ou des Guermante. Proust vivait son art romanesque comme une ambition d'égaler le rite catholique de la « transsubstantiation ». Le terme renvoie à l'Eucharistie où le pain et le vin représentent, ou plutôt convertissent réellement, la chair du Christ. Celui qui communie mange et boit le Christ dans le réel de son humanité et de sa divinité. L'écriture selon Proust serait cette sorte de transsubstantiation eucharistique qui transforme les mots en « qualités de la matière et de la vie ». Les mots deviennent la vie elle-même, et l'écriture prime la réalité qui n'est que « cette espèce de déchet de l'expérience ». Le mot « transsubstantiation » employé pour définir l'écriture nous invite à chercher en elle une *expérience*, précisément, au double sens que la langue allemande possède pour elle : saisie immédiate, surgissement, fulgurance (*Erlebnis*), et connaissance, patient savoir (*Erfahrung*). Proust est constamment au carrefour entre les deux : saisissement et laboratoire.

N'a-t-on pas perdu, après lui, cette « vertu athée »

que Proust cherchait dans le roman? Les surréalistes étaient fous d'amour, les existentialistes se sont engagés dans le culte de la Révolution politique, le Nouveau Roman a réhabilité l'esthétisme, l'autofiction sacre aujourd'hui les scandales des super-egos. Ni d'un côté ni de l'autre, sans cesse à travers et au-delà, Proust régionalise dangereusement la littérature qui lui succède. Dedans *et* dehors, au centre *et* à la périphérie, il taille dans la chair des autres et dans la sienne propre. Sadiquement, ironiquement, avec précision. Et ne cesse de déranger tous ceux qui veulent « en être ».

La fascination de Proust pour le catholicisme est très présente tout au long du livre, notamment dans la première partie de *Du côté de chez Swann*, lorsque le narrateur se balade dans les rues de Combray et qu'il tombe nez à nez avec l'église du village.

« L'abside de l'église de Combray, peut-on vraiment en parler? Elle était si grossière, si dénuée de beauté artistique et même d'élan religieux. Du dehors, comme le croisement des rues sur lequel elle donnait était en contrebas, sa grossière muraille s'exhaussait d'un soubassement en moellons nullement polis, hérissés de cailloux, et qui n'avait rien de particulièrement ecclésiastique, les verrières semblaient percées à une hauteur excessive, et le tout avait plus l'air d'un mur de prison que d'église. Et certes, plus tard, quand je me rappelais toutes les glorieuses absides que j'ai vues, il ne me serait jamais venu à la pensée de rapprocher d'elles l'abside de Combray. Seulement un jour, au détour d'une petite rue provinciale, j'aperçus, en face du croisement de trois ruelles, une muraille fruste et surélevée, avec des verrières percées en haut et offrant le même aspect asymétrique que l'abside de Combray. Alors je ne me suis pas demandé comme à Chartres ou à Reims avec quelle puissance y était exprimé le sentiment religieux, mais je me suis involontairement écrié: "L'Église!"

» L'église! Familière; mitoyenne, rue Saint-Hilaire, où était sa porte nord, de ses deux voisines, la pharmacie de M. Rapin et la maison de Mme Loiseau, qu'elle touchait sans aucune séparation; simple citoyenne de Combray qui aurait pu avoir son numéro dans la rue si les rues de Combray avaient eu des numéros, et où il semble que le facteur aurait dû s'arrêter le matin quand il faisait sa distribution avant de rentrer chez Mme Loiseau et en sortant de chez M. Rapin, il y avait pourtant entre elle et tout ce qui n'était pas elle une démarcation que mon esprit n'a jamais pu arriver à franchir. Mme Loiseau avait beau avoir à sa fenêtre des fuchsias, qui prenaient la mauvaise habitude de laisser leurs branches courir toujours partout têtes baissées, et dont les fleurs n'avaient rien de plus pressé, quand elles étaient assez grandes, que d'aller rafraîchir leurs joues violettes et congestionnées contre la sombre façade de l'église, les fuchsias ne devenaient pas sacrés pour cela pour moi; entre les fleurs et la pierre noircie sur laquelle elles s'appuyaient, si mes yeux ne percevaient pas d'intervalle, mon esprit réservait un abîme[1]. »

---

1. *Ibid.*, p. 58.

Les lieux

par

Michel Erman

Portrait de lecteur

« Ce sont nos passions qui esquissent nos livres, le repos d'intervalle qui les écrit. »

(*Le Temps retrouvé.*)

Derrière tout grand roman se cache une expérience du réel que l'auteur est parvenu à fondre, à traduire, afin que nous puissions la saisir. Marcel Proust s'est beaucoup interrogé à ce sujet, comme en témoigne cette phrase du narrateur qui apparaît dans le dernier tome de la Recherche, *au cœur d'une réflexion sur la souffrance. Les passions dont il parle ont elles-mêmes ponctué la courte vie de Proust. Une existence singulière et passionnante qui n'a pas fini d'être détaillée et analysée.*

* * *

En ses mille et une nuits, la vie de Marcel Proust s'est construite sur le sentiment du tragique. Cela lui a donné une lucidité étonnante dont témoigne toute la *Recherche* avec son dessein de « déchiffrer le livre intérieur de signes inconnus » composés par le cœur et l'esprit humains. Pour écrire sa biographie, il m'a fallu me libérer de l'indéniable fascination qu'il exerce et en faire en quelque sorte ma créature. Mais

j'ai très vite compris que c'est dans les intermittences
et les absences de l'existence que peut surgir la singularité de l'être. Saisir une vie ne repose pas que sur
des faits, des documents ou des témoignages, ceux-ci
sont des traces qui demandent à rencontrer l'imaginaire du biographe. J'ai sans doute imaginé la vie de
Marcel Proust, je ne l'ai pas inventée pour autant. Je
l'ai imaginée pour pouvoir recréer le flux de l'existence et tenter de comprendre pourquoi il lui fallait
rêver celle-ci en l'écrivant.

Je me suis très vite rendu compte que l'image
du mondain valétudinaire, futile et buveur de thé
– peut-être accréditée par le célèbre portrait de
Jacques-Émile Blanche où le modèle a les traits et
le regard figés – ne correspondait en rien à la vérité.
Proust affectionnait en réalité la bière, le champagne
et le café ! Plus sérieusement, c'était un homme doté
d'une très grande volonté et d'un courage certain.
À preuve, son goût pour les duels. À vingt-cinq ans,
le jeune écrivain n'hésite pas à engager le fer avec
Mallarmé dans un article intitulé « Contre l'obscurité ». Le poète pour qui toute impression ne peut
que culminer dans l'abstraction répond alors à son
cadet en l'invitant au dialogue, mais celui-ci main-
tient que le symbolisme est un art de la confusion,
esthétique contre laquelle il réagira en tant que
romancier. On voit là un Proust au caractère tranché,
refusant de se laisser impressionner par son aîné. Et
puis il y a le duel véritable avec Jean Lorrain, un jour
de l'hiver 1897, dans les bois de Meudon. Ce dernier

avait fait des allusions perfides aux relations intimes que Proust entretenait avec Lucien Daudet. Envoi de témoins, aucun accord n'ayant été trouvé, deux balles furent échangées. Sans résultat. Proust n'a pas tiré en l'air, comme il arrivait en pareil cas, il a visé son adversaire et l'a manqué de peu. Ce jour-là, il s'est senti héroïque à la manière d'un Fabrice Del Dongo.

Ma première lecture de l'œuvre de Proust s'est faite un peu par hasard. Lorsque j'étais étudiant, j'ai trouvé chez un bouquiniste une édition du *Côté de chez Swann* dans la collection « blanche ». Je l'ai achetée et j'ai immédiatement été subjugué par le début du roman qui se passe dans cette chambre que je qualifie d'alchimique tant la mémoire du corps y convertit les souvenirs en littérature. Et puis ces personnages, comme Swann, Odette ou la Verdurin, qui s'esquissent tous au fil de retouches successives et dont les attitudes ne sont jamais entièrement explicables, bref ces personnages dont nous ne saisissons que des apparitions et que nous ne connaissons pas totalement me semblaient incarner ce qui se passe dans la vie. En définitive, ce qui me touche énormément c'est qu'en luttant contre la force destructrice de l'oubli, Proust représente l'existence telle qu'elle est, plaisante et grave, triste et joyeuse.

La parenthèse autour des Larivière est en ce sens l'un des passages de la *Recherche* qui m'a toujours ému, et qui continue de m'émouvoir à chaque nouvelle lecture.

Dans l'extrait suivant, Proust affirme à la fois son patriotisme et un humanisme profond à travers une anecdote a priori sans importance : la mort du neveu de Françoise, la cuisinière des parents. En mêlant ici l'histoire des Larivière à la grande Histoire, il apparaît pour la première fois entre les lignes de la fiction, témoignant une fois de plus que la vie n'est pas faite que de passions tristes.

« Un neveu de Françoise avait été tué à Berry-au-Bac qui était aussi le neveu de ces cousins millionnaires de Françoise, anciens grands cafetiers retirés depuis longtemps après fortune faite. Il avait été tué, lui tout petit cafetier sans fortune qui parti à la mobilisation âgé de vingt-cinq ans avait laissé sa jeune femme seule pour tenir le petit bar qu'il croyait regagner quelques mois après. Il avait été tué. Et alors on avait vu ceci. Les cousins millionnaires de Françoise et qui n'étaient rien à la jeune femme, veuve de leur neveu, avaient quitté la campagne où ils étaient retirés depuis dix ans et s'étaient remis cafetiers, sans vouloir toucher un sou ; tous les matins à 6 heures, la femme millionnaire, une vraie dame, était habillée ainsi que "sa demoiselle", prêtes à aider leur nièce et cousine par alliance. Et depuis près de trois ans, elles rinçaient ainsi des verres et servaient des consommations depuis le matin jusqu'à 9 heures et demie du soir, sans un jour de repos. Dans ce livre où il n'y a pas un seul fait qui ne soit fictif, où il n'y a pas un seul personnage "à clefs", où tout a été inventé par moi selon les besoins de ma démonstration, je dois dire à la louange de mon pays que seuls les parents millionnaires de Françoise ayant quitté leur retraite pour aider leur nièce sans appui, que seuls ceux-là sont des gens réels, qui existent. Et persuadé que leur modestie ne s'en offensera pas, pour la raison qu'ils ne liront jamais ce livre, c'est avec un enfantin plaisir et une profonde émotion que, ne pouvant citer les noms de tant d'autres qui durent agir de même et par qui la France a survécu, je transcris ici leur nom véritable : ils s'appellent, d'un nom si français d'ailleurs, Larivière. S'il y a eu quelques vilains embusqués comme l'impérieux jeune homme en smoking que j'avais vu chez Jupien et dont la seule préoccupation était de savoir s'il pourrait avoir Léon à 10 heures et demie "parce qu'il déjeunait en ville", ils sont rachetés par la foule innombrable de tous les Français de Saint-André-des-Champs, par tous les soldats sublimes auxquels j'égale les Larivière [1]. »

---

1. Marcel Proust, *À la recherche du temps perdu*, Paris, Gallimard, coll. « Quarto », 1999, p. 2246.

2

Combray

« Un homme qui dort, tient en cercle autour de lui le fil des heures, l'ordre des années et des mondes. »

(Du côté de chez Swann.)

Le lecteur qui ouvre Du côté de chez Swann *se retrouve dans une chambre en compagnie d'un narrateur tentant de trouver le sommeil. Il s'endort, se réveille, se rendort, s'abandonne doucement au monde des rêves et parvient finalement à voyager dans le temps et dans l'espace. Il se souvient ainsi de toutes les chambres qu'il a habitées. L'une d'elles surgit plus nettement que les autres, celle de son enfance à Combray. Du côté de Méséglise ou du côté de Guermantes, le narrateur a passé toutes ses vacances en famille dans cet endroit imaginaire qui sera le théâtre de scènes fondatrices – le drame du coucher ou encore la première dégustation de la madeleine.*

★ ★ ★

L'espace champêtre et sensuel de l'enfance que représente Combray, et plus particulièrement la maison de tante Léonie, emprunte à la fois à la propriété de l'oncle maternel de Proust, à Auteuil, où la famille

venait souvent en villégiature et à la maison de sa
tante paternelle située, elle, à Illiers, petit village
dressé entre Beauce et Perche où le temps semble
arrêté. Là le jeune Marcel Proust a passé bien des
vacances de Pâques et d'été jusqu'à l'âge de neuf
ans. Si Auteuil est le véritable jardin de l'enfance
avec son parc planté d'aubépiniers et de marron-
niers, Illiers aura vivement marqué l'imaginaire de
Marcel et deviendra le modèle principal de Combray. Ce nom est un hommage à Combourg et aux
Mémoires d'outre-tombe de Chateaubriand, livre dans
lequel l'auteur rapporte un événement de mémoire
involontaire pratiquement semblable à ceux de la
Recherche.

Il y a donc deux côtés à l'origine du roman :
Auteuil, le côté de la mère, et Illiers, le côté du père.
Comme il y a deux côtés – et deux mondes sociaux
– autour de Combray : le côté de Guermantes (le
passé aristocratique de la France qui fait naître chez
le héros des rêves d'écrivain) et le côté de Méséglise (la vie bourgeoise, le lieu aussi des rencontres
féminines). C'est une géographie quasi dualiste qui
structure l'espace : d'une part, la plaine de la Beauce
avec les aubépines et les lilas, fleurs charnelles du
parc de Swann, de l'autre les paysages d'eaux et de
rivières, avec les nymphéas de la Vivonne évoquant,
eux, la femme idéale.

D'un point de vue sociologique, le pays de
Combray représente la France traditionnelle et provinciale, symbolisée à l'envi par ses églises, lieux

de mémoire beaucoup plus que lieux de culte. À l'exemple de Saint-Hilaire dont la crypte daterait de l'époque mérovingienne et dont les vitraux évoquent une tapisserie de lumière étincelante de la poussière des siècles passés.

Quant à la maison de tante Léonie, elle est constituée de deux parties séparées par un étroit et triste escalier dont le narrateur se souvient avec terreur : le rez-de-chaussée, espace de la sociabilité et du plaisir, grâce en particulier à la cuisine où Françoise mitonne des mets alliant la tendreté à la tendresse, contraste avec le premier étage où se trouvent les chambres, espace de la séparation. Monter l'escalier pour aller se coucher, c'est se résoudre à se séparer de sa mère, a fortiori quand la fameuse clochette du jardin annonce la venue d'un visiteur. C'est dans le couloir menant à l'escalier qu'un soir l'enfant la guette et la conjure de venir le retrouver dans sa chambre.

Combray représente le temps de l'enfance avec ses bonheurs, ses angoisses et ses mystères, bruissant des rumeurs imaginaires de tout le roman.

Du côté de chez Swann regorge de souvenirs heureux liés aux plaisirs des sens, et Proust ne manque pas de régaler l'imagination et de délecter le palais de ses lecteurs à travers certaines descriptions de somptueux repas. Le temps d'un déjeuner, le romancier se fait d'ailleurs fin gastronome, honorant la cuisine du terroir – celle de son enfance.

« [...] il y avait bien longtemps que l'heure altière de midi, descendue de la tour de Saint-Hilaire qu'elle armoriait des douze fleurons momentanés de sa couronne sonore avait retenti autour de notre table, auprès du pain bénit venu lui aussi familièrement en sortant de l'église, quand nous étions encore assis devant les assiettes des *Mille et une Nuits*, appesantis par la chaleur et surtout par le repas. Car, au fond permanent d'œufs, de côtelettes, de pommes de terre, de confitures, de biscuits qu'elle ne nous annonçait même plus, Françoise ajoutait – selon les travaux des champs et des vergers, le fruit de la marée, les hasards du commerce, les politesses des voisins et son propre génie, et si bien que notre menu, comme ces quatre-feuilles qu'on sculptait au XVIIIe siècle au portail des cathédrales, reflétait un peu le rythme des saisons et les épisodes de la vie : une barbue parce que la marchande lui en avait garanti la fraîcheur, une dinde parce qu'elle en avait vu une belle au marché de Roussainville-le-Pin, des cardons à la moelle parce qu'elle ne nous en avait pas encore fait de cette manière-là, un gigot rôti parce que le grand air creuse et qu'il avait bien le temps de descendre d'ici sept heures, des épinards pour changer, des abricots parce que c'était encore une rareté, des groseilles parce que dans quinze jours il n'y en aurait plus, des framboises que M. Swann avait apportées exprès, des cerises, les premières qui vinssent du cerisier du jardin après deux ans qu'il n'en donnait plus, du fromage à la crème que j'aimais bien autrefois, un gâteau aux amandes parce qu'elle l'avait commandé la veille, une brioche parce que c'était notre tour de l'offrir. Quand tout cela était fini, composée expressément pour nous, mais dédiée plus spécialement à mon père qui était amateur, une crème au chocolat, inspiration, attention personnelle de Françoise, nous était offerte, fugitive et légère comme une œuvre de circonstance où elle avait mis tout son talent[1]. »

---

1. *Ibid.*, p. 64-65.

3

Balbec

« L'adolescence est le seul temps où l'on ait appris quelque chose. »

(À l'ombre des jeunes filles en fleurs.)

Le roman de Marcel Proust est la traversée d'une vie. Celle du narrateur qui gravite autour de plusieurs personnages et que l'on voit grandir et évoluer à différents âges. Dans À l'ombre des jeunes filles en fleurs, *nous le retrouvons adolescent à Balbec. Il accompagne sa grand-mère dans cette station balnéaire qui deviendra pour lui l'espace de toutes les rencontres, celles qui vont marquer à jamais son existence. C'est là qu'il fait la connaissance de Robert de Saint-Loup, de Charlus, du peintre Elstir, et surtout d'Albertine Simonet. Balbec est donc le lieu des révélations et des apprentissages. Un lieu à la fois mystérieux et lumineux qui fait l'objet de deux séjours dans* À la recherche du temps perdu *et qui évoque les périodes estivales passées par Proust, de 1907 à 1914, à Cabourg.*

* * *

Durant son enfance, Proust a passé de nombreuses vacances sur la côte normande, à Dieppe, à Houlgate, à Cabourg, à Trouville. À la Belle Époque, il s'agissait de lieux de villégiature pour la bonne société où se mêlaient vie estivale et vie mondaine. On ne lézardait pas comme aujourd'hui sur la plage : si on nageait avec plaisir, on prêtait aussi aux bains de mer des vertus médicales, en particulier pour soigner les maladies nerveuses. Dans le roman, le premier séjour que le héros effectue à Balbec, à l'âge de seize ou dix-sept ans, c'est précisément pour faire une cure hydrothérapique. Mais l'important reste bien sûr l'initiation amoureuse et artistique que représente la villégiature normande.

Après Combray, Balbec est l'autre lieu imaginaire de la *Recherche*. Et comme Venise, c'est d'abord un lieu rêvé et fantasmé par le héros après que Swann lui a évoqué une église gothique mais de style persan, dressée sur une falaise au bord de la mer, comme livrée aux flots. Le jeune homme n'a de cesse de prendre le train à la gare Saint-Lazare pour aller à Balbec découvrir cette église – largement inspirée au romancier par les écrits de Ruskin sur le gothique normand.

Le nom de Balbec vient de celui de la ville de Baalbek au Liban et de celle de Bolbec dans le Pays de Caux. Balbec est donc imaginairement persan et réellement normand bien que ses environs ressemblent à certains paysages bretons. Installé au Grand Hôtel de la plage, le héros y croise toute une cohorte de notables et de Parisiens fortunés qui forment la classe de loisirs naissante à l'époque. Outre Saint-Loup et Elstir – qu'il rencontre par hasard lors d'un dîner avant d'être invité dans son atelier –, il fait la connaissance des belles et audacieuses jeunes filles à bicyclette – lesquelles exhibent avec fierté leur jeunesse sur la digue. Il flirtera avec plusieurs, en particulier avec Albertine, la chatoyante actrice de la plage, qui suscite vite en lui la rêverie amoureuse et restera dans son esprit indissociable du paysage marin. C'est au cours du second séjour que prend corps une véritable liaison avec celle dont il devine pourtant les désirs labiles et les penchants homosexuels.

Balbec, c'est aussi une lumière toujours changeante, parfois admirée d'une chambre-prisme aux fenêtres donnant à la fois sur la mer et sur la vallée. L'œil impressionniste qui veut montrer ce qui apparaît dans la sensation est partout présent dans les métaphores du narrateur faisant se confondre la mer et le ciel. C'est la leçon d'Elstir qui ne cherche pas à imiter la nature mais à sculpter le monde en plaçant le regard dans le paysage. Elstir sera le principal initiateur du narrateur sur les chemins de la création. On peut ainsi considérer que Balbec est le lieu de l'apprentissage de la beauté.

Dans *À l'ombre des jeunes filles en fleurs*, le narrateur séjourne au Grand Hôtel. Au petit matin, dans sa chambre, il regarde à travers sa fenêtre la mer qui lui apparaît lumineuse et majestueuse ; il en fait une description impressionniste.

« […] après qu'un domestique fut venu m'éveiller et m'apporter de l'eau chaude, et pendant que je faisais ma toilette et essayais vainement de trouver les affaires dont j'avais besoin dans ma malle d'où je ne tirais, pêle-mêle, que celles qui ne pouvaient me servir à rien, quelle joie, pensant déjà au plaisir du déjeuner et de la promenade, de voir dans la fenêtre et dans toutes les vitrines des bibliothèques, comme dans les hublots d'une cabine de navire, la mer nue, sans ombrages et pourtant à l'ombre sur une moitié de son étendue que délimitait une ligne mince et mobile, et de suivre des yeux les flots qui s'élançaient l'un après l'autre comme des sauteurs sur un tremplin! À tous moments, tenant à la main la serviette raide et empesée où était écrit le nom de l'hôtel et avec laquelle je faisais d'inutiles efforts pour me sécher, je retournais près de la fenêtre jeter encore un regard sur ce vaste cirque éblouissant et montagneux et sur les sommets neigeux de ses vagues en pierre d'émeraude çà et là polie et translucide, lesquelles avec une placide violence et un froncement léonin laissaient s'accomplir et dévaler l'écroulement de leurs pentes auxquelles le soleil ajoutait un sourire sans visage. Fenêtre à laquelle je devais ensuite me mettre chaque matin comme au carreau d'une diligence dans laquelle on a dormi, pour voir si pendant la nuit s'est rapprochée ou éloignée une chaîne désirée – ici ces collines de la mer qui avant de revenir vers nous en dansant, peuvent reculer si loin que souvent ce n'était qu'après une longue plaine sablonneuse que j'apercevais à une grande distance leurs premières ondulations, dans un lointain transparent, vaporeux et bleuâtre comme ces glaciers qu'on voit au fond des tableaux des primitifs toscans[1]. »

---

1. *Ibid.*, p. 534.

4

Paris

« L'instinct d'imitation et l'absence de courage gouvernent les sociétés comme les foules. »

(*Sodome et Gomorrhe.*)

Voilà la critique qu'adresse le narrateur au grand monde, qu'il côtoie souvent et qu'il apprend à observer. Rappelons que Proust, lecteur attentif du sociologue Gabriel Tarde, fait de l'imitation le grand principe de la vie sociale. Notre héros est devenu un habitué des salons depuis qu'il a emménagé avec ses parents dans une aile de l'hôtel particulier du duc et de la duchesse de Guermantes. Proust connaissait bien Paris puisqu'il y a toujours vécu. Il est né à Auteuil, est décédé rue Hamelin, a habité boulevard Malesherbes, rue de Courcelles puis boulevard Haussmann, fréquenté le lycée Condorcet et les restaurants littéraires de la Madeleine : des lieux qui appartiennent tous au nord-ouest parisien, un quartier où s'invitent les élégances du temps.

* * *

Paris constitue le cadre romanesque essentiel de la *Recherche*. Au faubourg Saint-Germain, espace géographique à cheval sur les 6ᵉ et 7ᵉ arrondissements qui abrite depuis le XVIIIe siècle les hôtels particuliers de l'aristocratie, Proust oppose le Paris haussmannien de la nouvelle bourgeoisie : la place de la Madeleine, la plaine Monceau, les Champs-Élysées. Et le bois de Boulogne où l'on croise de belles élégantes, où les Verdurin vont souvent dîner, les soirs d'été, au restaurant de l'Île, et où Swann, amoureux d'une Odette volage, s'empresse de les rejoindre : dans la *Recherche*, le Bois est un lieu social et mondain mais il faut ajouter que c'est un lieu empreint de sensualité, voire d'érotisme. Proust évoque aussi les Grands Boulevards et leurs restaurants dotés de cabinets destinés à des agapes intimes : c'est à l'angle du boulevard des Italiens et de la rue d'Artois (aujourd'hui rue Laffitte) qu'un soir, après l'avoir cherchée dans tout Paris, Swann retrouve Odette sortant de la Maison Dorée.

Les Verdurin habitent rue Montalivet à quelques encablures de la Madeleine. Arbitres des élégances et du jeu social, ils font jouer du Wagner dans leur salon à une époque où le compositeur n'est guère apprécié en France. Cet avant-gardisme associe une forme de discernement au snobisme et à l'intérêt : les prestiges de la culture sont d'abord des médiations destinées à créer de nouveaux goûts afin de faire monter la cote Verdurin à la Bourse mondaine.

L'habitat témoigne des évolutions mondaines, donc sociales. Si l'hôtel particulier du prince de Guermantes, doté d'un vaste jardin où trône le fameux jet d'eau d'Hubert Robert, est situé rue de

Varenne dans le 7ᵉ, celui du duc et de la duchesse se trouve dans la plaine Monceau (8ᵉ): depuis le second Empire, c'est le lieu où il faut habiter. Et, après la guerre, le premier émigrera avenue du Bois (aujourd'hui avenue Foch) dans le 16ᵉ. L'esprit bourgeois et l'air du temps auront eu raison de la géographie et de l'histoire !

C'est dans la partie inférieure des Champs-Élysées, de la Concorde à l'avenue Marigny, que le héros va se promener accompagné de Françoise. C'est là qu'il tombe amoureux de Gilberte, c'est là que la grand-mère est frappée par une attaque d'apoplexie dans le petit pavillon de nécessité. Le jardin des Champs-Élysées agrémenté d'aires de jeux est associé aux premières amours, déçues, mais aussi à la mort ; il tient lieu, en définitive, d'espace matriciel de la souffrance.

Paris, c'est encore les lieux de lascivité que constituent les maisons de passe et les endroits interlopes, comme le parc des Buttes-Chaumont où Albertine et Andrée se rencontrent en secret ainsi que la gare Saint-Lazare dont l'immense salle des pas perdus constitue un terrain de chasse idéal pour le baron Charlus. Le Paris de la *Recherche* n'est pas qu'un espace social, c'est aussi une ville dédiée aux plaisirs.

À travers son roman, Proust ne manque pas une occasion de souligner la superficialité et la vanité des mondains. Il s'y applique notamment dans *Le Côté de Guermantes* où il met en scène son héros, invité chez Mme de Villeparisis, et témoin des cruautés du grand monde.

« Dites-moi, ma bonne tante, demanda M. de Guermantes à Mme de Villeparisis, qu'est-ce que ce monsieur assez bien de sa personne qui sortait comme j'entrais ? Je dois le connaître parce qu'il m'a fait un grand salut, mais je ne l'ai pas remis, vous savez, je suis brouillé avec les noms, ce qui est bien désagréable, dit-il d'un air de satisfaction.

» – M. Legrandin.

» – Ah ! mais Oriane a une cousine dont la mère, sauf erreur, est née Grandin. Je sais très bien, ce sont des Grandin de l'Éprevier.

» – Non, répondit Mme de Villeparisis, cela n'a aucun rapport. Ceux-ci sont Grandin tout simplement, Grandin de rien du tout. Mais ils ne demandent qu'à l'être de tout ce que tu voudras. La sœur de celui-ci s'appelle Mme de Cambremer.

» – Mais voyons, Basin, vous savez bien de qui ma tante veut parler, s'écria la duchesse avec indignation, c'est le frère de cette énorme herbivore que vous avez eu l'étrange idée d'envoyer venir me voir l'autre jour. Elle est restée une heure, j'ai pensé que je deviendrais folle. Mais j'ai commencé par croire que c'était elle qui l'était en voyant entrer chez moi une personne que je ne connaissais pas et qui avait l'air d'une vache.

» – Écoutez, Oriane, elle m'avait demandé votre jour ; je ne pouvais pourtant pas lui faire une grossièreté, et puis, voyons, vous exagérez, elle n'a pas l'air d'une vache », ajouta-t-il d'un air plaintif, mais non sans jeter à la dérobée un regard souriant sur l'assistance.

» Il savait que la verve de sa femme avait besoin d'être stimulée par la contradiction, la contradiction du bon sens qui proteste que, par exemple, on ne peut pas prendre une femme pour une vache (c'est ainsi que Mme de Guermantes enchérissant sur une première image était souvent arrivée à produire ses plus jolis mots). Et le duc se présentait naïvement pour l'aider, sans en avoir l'air, à réussir son tour, comme, dans un wagon, le compère inavoué d'un joueur de bonneteau.

» Je reconnais qu'elle n'a pas l'air d'une vache, car elle a l'air de plusieurs, s'écria Mme de Guermantes. Je vous jure que j'étais bien embarrassée voyant ce troupeau de vaches qui entrait en chapeau dans mon salon et qui me demandait comment j'allais. D'un côté j'avais envie de lui répondre : "Mais, troupeau de vaches, tu confonds, tu ne peux pas être en relations avec moi, puisque tu es un troupeau de vaches", et d'autre part ayant cherché dans ma mémoire j'ai fini par croire que votre Cambremer était l'infante Dorothée qui avait dit qu'elle viendrait une fois et qui est assez *bovine* aussi, de sorte que j'ai failli dire Votre Altesse royale et parler à la troisième personne à un troupeau de vaches. Elle a aussi le genre de gésier de la reine de Suède. Du reste cette attaque de vive force avait été préparée par un tir à distance, selon toutes les règles de l'art. Depuis je ne sais combien de temps j'étais bombardée de ses cartes, j'en trouvais partout, sur tous les meubles, comme des prospectus. J'ignorais le but de cette réclame. On ne voyait chez moi que "Marquis et Marquise de Cambremer" avec une adresse que je ne me rappelle pas et dont je suis d'ailleurs résolue à ne jamais me servir.

» – Mais c'est très flatteur de ressembler à une reine, dit l'historien de la Fronde.

» – Oh! mon Dieu, Monsieur, les rois et les reines, à notre époque ce n'est pas grand-chose! », dit M. de Guermantes parce qu'il avait la prétention d'être un esprit libre et moderne, et aussi pour n'avoir pas l'air de faire cas des relations royales auxquelles il tenait beaucoup.

Bloch et M. de Norpois qui s'étaient levés se trouvèrent plus près de nous.

» Monsieur, dit Mme de Villeparisis, lui avez-vous parlé de l'affaire Dreyfus [1] ? »

---

1. *Ibid.*, p. 922-924.

5

Venise

« On a dit que la beauté est une promesse de bonheur. »

(La Prisonnière.)

Le narrateur – qui emprunte cette formule à Stendhal – est un esthète. Partout où il va, il accorde une extrême attention « à la beauté intrinsèque des choses ». Beauté d'une chambre, d'une musique, d'un regard, d'un paysage : Marcel Proust décline cette notion à l'envi, notamment lorsqu'il s'agit de décrire le séjour du héros à Venise qui se remémorera, en butant sur les pavés de la cour de l'hôtel de Guermantes, les heures heureuses passées dans la cité des Doges. Une ville qu'il a d'abord rêvée, avant de la visiter accompagné de sa mère, dans Albertine disparue.

* * *

Le voyage en Italie, et notamment à Venise, a longtemps occupé les pensées de Marcel Proust à la manière d'un plaisir toujours différé. C'est à l'œuvre de Ruskin qu'il doit en grande partie son désir de Venise. En sorte qu'en arrivant dans la cité des Doges, en mai 1900, il prend pour guide l'ouvrage du maître anglais, *Stones of Venice*, où celui-ci expose sa conception d'une continuité entre l'art grec et l'art chrétien tout en commentant l'architecture palatine, ainsi que *Saint-Mark's Rest* où il est beaucoup question des peintres, en particulier de Carpaccio. Dans la *Recherche*, les peintres vénitiens, comme le Titien ou Carpaccio, sont souvent évoqués pour représenter la beauté érotisée et l'élégance féminine : Albertine, les cheveux défaits, est comparée à un modèle du premier et, lorsqu'elle découvre les robes du couturier Fortuny aux motifs très inspirés par les tableaux du second, elle tombe sous leur charme. Ajoutons que la Sérénissime est un lieu rêvé par le narrateur depuis ce jour de l'enfance où sa grand-mère lui a offert une gravure du Titien représentant la lagune.

Venise est, d'un bout à l'autre du livre, un lieu sacré parce que c'est un lieu chargé de mémoire et d'imagination. Mémoire artistique et culturelle mais aussi mémoire humaine puisque, de façon tout à fait singulière, le regard du narrateur revisite le pays de Combray et ses impressions d'enfance : les effets de lumière sur le Campanile lui évoquent le clocher de Saint-Hilaire et le baptistère de Saint-Marc sa crypte. Avant d'être l'objet de la mémoire involontaire, Venise permet donc de raviver le passé ; elle est le lieu du semblable et de l'inconnu.

Durant la vie commune avec Albertine, le narrateur envisage sérieusement le voyage à Venise comme un moyen de s'éloigner de la jeune fille et de rompre la relation délétère qu'il entretient avec elle. Mais c'est seulement après la mort de sa maîtresse qu'il ira y passer plusieurs semaines. Il s'éprendra d'une jeune Autrichienne qui lui rappelle la défunte. De cette dernière, il finira, au fil des jours, par faire le deuil, se rendant compte qu'il n'éprouve plus aucun attachement pour elle. Traverser Venise, c'est traverser la passion amoureuse jusqu'à l'oubli.

Au détour des quartiers de Venise, Proust manifeste aussi son intérêt pour les petites gens dont il parle à plusieurs reprises dans le roman. Quant au narrateur qui va souvent errer, seul, le long des canaux et des ruelles obscures à la recherche de bonnes fortunes féminines, il laisse clairement apparaître son côté Don Juan. Cette quête entraîne le lecteur dans une Venise populaire et bruissante de vie, une ville charnelle, une ville-femme qui contraste avec l'image mélancolique habituelle de la Sérénissime.

La découverte de la ville se fait au fil de l'eau dans *Albertine disparue*, le sixième tome de la *Recherche* où Proust donne un aperçu d'une Venise populaire.

« Ma gondole suivait les petits canaux ; comme la main mystérieuse d'un génie qui m'aurait conduit dans les détours de cette ville d'Orient, ils semblaient, au fur et à mesure que j'avançais, me pratiquer un chemin, creusé en plein cœur d'un quartier qu'ils divisaient en écartant à peine, d'un mince sillon arbitrairement tracé, les hautes maisons aux petites fenêtres mauresques ; et comme si le guide magique eût tenu une bougie entre ses doigts et m'eût éclairé au pas-

sage, ils faisaient briller devant eux un rayon de soleil
à qui ils frayaient sa route. On sentait qu'entre les
pauvres demeures que le petit canal venait de séparer, et qui eussent sans cela formé un tout compact,
aucune place n'avait été réservée. De sorte que le
campanile de l'église ou les treilles des jardins sur-
plombaient à pic le rio, comme dans une ville inondée.
Mais pour les églises comme pour les jardins, grâce à
la même transposition que dans le Grand Canal, où la
mer se prête si bien à faire la fonction de voie de communication, de chaque côté du canaletto, les églises
montaient de l'eau en ce vieux quartier populeux et
pauvre, de paroisses humbles et fréquentées, portant
sur elles le cachet de leur nécessité, de la fréquentation
de nombreuses petites gens ; les jardins traversés par
la percée du canal laissaient traîner jusque dans l'eau
leurs feuilles ou leurs fruits étonnés, et sur le rebord
de la maison dont le grès grossièrement fendu était
encore rugueux comme s'il venait d'être brusquement scié, des gamins surpris et gardant leur équilibre
laissaient pendre à pic leurs jambes bien d'aplomb, à
la façon de matelots assis sur un pont mobile dont
les deux moitiés viennent de s'écarter et ont permis
à la mer de passer entre elles. Parfois apparaissait un
monument plus beau qui se trouvait là comme une
surprise dans une boîte que nous viendrions d'ouvrir,
un petit temple d'ivoire avec ses ordres corinthiens
et sa statue allégorique au fronton, un peu dépaysé
parmi les choses usuelles au milieu desquelles il traî-
nait, car nous avions beau lui faire de la place, le
péristyle que lui réservait le canal gardait l'air d'un
quai de débarquement pour maraîchers. J'avais l'impression, qu'augmentait encore mon désir, de ne pas
être dehors, mais d'entrer de plus en plus au fond de

quelque chose de secret, car à chaque fois je trouvais quelque chose de nouveau qui venait se placer de l'un ou de l'autre côté de moi, petit monument ou campo imprévu, gardant l'air étonné des belles choses qu'on voit pour la première fois et dont on ne comprend pas encore bien la destination et l'utilité . »

VII

Proust et les philosophes

par

Raphaël Enthoven

Portrait de lecteur

« Avoir un corps, c'est la grande menace pour l'esprit. »

(*Le Temps retrouvé*.)

Dans Le Temps retrouvé, *le narrateur a enfin pris la décision d'écrire son roman. Mais soudain une inquiétude surgit : et s'il était victime d'un accident, s'il mourait demain, comment pourrait-il venir à bout de son œuvre ? Il comprend soudain qu'il n'est à l'abri d'aucun danger, et que son corps peut le trahir à tout moment. Une réflexion, parmi d'autres, qui s'inscrit dans la lignée de grands penseurs, et qui pose la question de la place de la philosophie dans* À la recherche du temps perdu.

* * *

La *Recherche* est le roman d'une vie, et l'histoire d'une pensée qui s'épanouit au cœur du récit, sans que le livre prenne jamais la forme d'un essai romancé. Proust se défendait d'avoir écrit une thèse sur la littérature. Peut-être craignait-il que son œuvre, indûment perçue comme théorique, n'apparût « comme un objet sur lequel on laisse la marque du prix » ?

Le fait est qu'il s'est souvent défendu, par

exemple, d'être philosophe ou pire : bergsonien, alors que Henri Bergson, dont il était le petit-cousin par alliance, incarne, avec d'inévitables nuances, une sorte de jumeau. En vérité, Proust était tellement bergsonien qu'il savait mieux qu'un autre que, comme dit Bergson, « on ne voit jamais les choses mêmes mais qu'on voit les étiquettes qu'on a posées sur elles ».

Mais il ne faut pas s'y tromper : Proust est autant philosophe que romancier.

Il y a dans *À la recherche du temps perdu*, mélangé à son récit, « anastomosée », une pensée de la mémoire et du singulier, constamment en travail. Proust est le philosophe d'une beauté qu'on ne peut pas expliquer, qui ne se réduit ni à la symétrie ni aux canons de l'esthétisme. Il est philosophe d'une beauté qui échappe à toute forme de théorie mais qui apparaît, et dont le surgissement est une énigme autant qu'une évidence. De fait, nous savons tous ce qui *est beau* mais personne ne sait ce qu'est *le beau*. Et Proust donne une chance à cette expérience que chacun peut faire. Il fait droit à ce sentiment, au jaillissement d'une énigmatique beauté, inexplicable mais incontestable.

En lisant la *Recherche* (c'est-à-dire en étant lu par Elle), en me laissant dévorer par ce livre, en m'abandonnant à sa lecture les yeux fermés comme on s'offre à un prédateur dont on espère la bienveillance en échange de la soumission, j'ai cru entendre, comme de longs échos, la parole d'une quantité de philosophes, dont la plupart étaient méconnus de Proust, Descartes, Nietzsche, Schopenhauer, Plotin, Bergson… Le roman est jalonné de problèmes ou d'impressions, de paradoxes et d'éloges que des penseurs millénaires avaient depuis longtemps pris en charge et offerts, sous une forme plus sèche, à leurs contemporains. Il y a quelque chose de bouleversant dans la constance d'un problème qui traverse les siècles, ponctuellement réactivé par tel ou tel caractère. Or Proust ne fait que ça. La *Recherche* est un concentré de tout ce à quoi nous n'avons pas de réponse.

J'ai ouvert le livre en première, sur les bons conseils de ma professeur de français, Mme Morel, qui dans un ensemble de textes pour le bac Français, qu'elle avait intitulé « Le roman du rire », avait rassemblé, outre quelques passages de *Madame Bovary*, quelques extraits de *L'homme qui rit*, et le début d'« Un amour de Swann ». Un texte hilarant… ce qui n'est pas si rare dans la *Recherche*. Proust nous plonge dans le petit cercle des Verdurin, ces demi-habiles qui croient qu'il suffit d'être intelligent pour ne plus être bête, ces imbéciles au carré dont la bêtise est incurable parce qu'ils croient qu'ils sont vaccinés contre elle ! C'est par le rire que j'ai découvert et aimé Proust, mais aussi par sa capacité à parler de la mélancolie, cette douleur sans cause, cet objet qui se donne au narrateur sous la forme d'un souvenir bien particulier, un souvenir étrange du présent, une sorte de « déjà vu ». Parente de l'étonnement, la mélancolie revêt le monde d'une considérable intensité d'intérêt, en donnant paradoxalement à ce qui est familier la saveur de l'insolite. La mélancolie proustienne est un surcroît de vigilance.

Il y a une page lumineuse, dans *À l'ombre des jeunes filles en fleurs*, au cœur de laquelle s'épanouit cette fameuse mélancolie. Le narrateur en fait l'expérience alors qu'il se trouve en voiture avec Mme de Villeparisis et qu'il passe près d'Hudimesnil, devant trois arbres qui lui donnent la sensation d'un bonheur fugitif.

« Je regardais les trois arbres, je les voyais bien, mais mon esprit sentait qu'ils recouvraient quelque chose sur quoi il n'avait pas prise, comme sur ces objets placés trop loin dont nos doigts, allongés au bout de notre bras tendu, effleurent seulement par instant l'enveloppe sans arriver à rien saisir. Alors on se repose un moment pour jeter le bras en avant d'un élan plus fort et tâcher d'atteindre plus loin. Mais pour que mon esprit pût ainsi se rassembler, prendre son élan, il m'eût fallu être seul. Que j'aurais voulu pouvoir m'écarter comme je faisais dans les promenades du côté de Guermantes quand je m'isolais de mes parents ! Il me semblait même que j'aurais dû le faire. Je reconnaissais ce genre de plaisir qui requiert, il est vrai, un certain travail de la pensée sur elle-même, mais à côté duquel les agréments de la nonchalance qui vous fait renoncer à lui, semblent bien médiocres. Ce plaisir, dont l'objet n'était que pressenti, que j'avais à créer moi-même, je ne l'éprouvais que de rares fois, mais à chacune d'elles il me semblait que les choses qui s'étaient passées dans l'intervalle n'avaient guère d'importance et qu'en m'attachant à sa seule réalité je pourrais commencer enfin une vraie vie. Je mis un instant ma main devant mes yeux pour pouvoir les fermer sans que Mme de Villeparisis s'en aperçût. Je restai sans penser à rien, puis de ma pensée ramassée, ressaisie avec plus de force, je bondis plus avant dans la direction des arbres, ou plutôt dans cette direction intérieure au bout de laquelle je les voyais en moi-même. Je sentis de nouveau derrière eux le même objet connu mais vague et que je ne pus ramener à moi. Cependant tous trois, au fur et à mesure que la voiture avançait, je les voyais s'approcher. Où les avais-je déjà regardés? Il n'y avait aucun lieu autour de Combray où une allée s'ouvrît ainsi. Le site qu'ils me rappelaient, il n'y avait pas de place pour lui davantage dans la campagne allemande où j'étais allé une année avec ma grand-mère prendre les eaux. Fallait-il croire qu'ils venaient d'années déjà si lointaines de ma vie que le paysage qui les entourait avait été entièrement aboli dans ma mémoire et que comme ces pages qu'on est tout d'un coup ému de retrouver dans un ouvrage qu'on s'imaginait n'avoir jamais lu, ils surnageaient seuls du livre oublié de ma première enfance? N'appartenaient-ils au contraire qu'à ces paysages du rêve, toujours les mêmes, du moins pour moi chez qui leur aspect étrange n'était que l'objectivation dans mon sommeil de l'effort que je faisais pendant la veille, soit pour atteindre le mystère dans un lieu derrière l'apparence duquel je le pressentais, comme cela m'était arrivé si souvent du côté de Guermantes, soit pour essayer de le réintroduire dans un lieu que j'avais désiré connaître et qui du jour où je l'avais connu m'avait paru tout superficiel, comme Balbec? N'étaient-ils qu'une image toute nouvelle détachée d'un rêve de la nuit précédente mais déjà si effacée qu'elle me semblait venir de beaucoup plus loin? Ou bien ne les avais-je jamais vus et cachaient-ils derrière eux comme tels arbres, telle touffe d'herbe que j'avais vus du côté de Guermantes, un sens aussi obscur, aussi difficile à saisir qu'un passé lointain de sorte que, sollicité par eux d'approfondir une pensée, je croyais avoir à reconnaître un souvenir? Ou encore ne cachaient-ils même pas de pensée et était-ce une fatigue de ma vision qui me les faisait voir doubles dans le temps comme on voit quelquefois double dans l'espace? Je ne savais. Cependant ils venaient vers moi; peut-être apparition mythique, ronde de sorcières ou de nornes qui me proposaient ses oracles. Je crus plutôt que c'étaient des fantômes du passé, de chers compagnons de mon enfance, des amis disparus qui invoquaient nos communs souvenirs. Comme des ombres ils semblaient me demander de les emmener avec moi, de les rendre à la vie. Dans leur gesticulation naïve et passionnée, je reconnaissais le regret impuissant d'un être aimé qui a perdu l'usage de la parole, sent qu'il ne pourra nous dire ce qu'il veut et que nous ne savons pas deviner. Bientôt, à un croisement de routes, la voiture les abandonna. Elle m'entraînait loin de ce que je croyais seul vrai, de ce qui m'eût rendu vraiment heureux, elle ressemblait à ma vie[1]. »

---

1. Marcel Proust, *À la recherche du temps perdu*, Paris, Gallimard, coll. « Quarto », 1999, p. 568-569.

2

Proust et Montaigne

« Et nous ne savons jamais si nous ne sommes pas en train de manquer notre vie. »

(*Jean Santeuil.*)

Marcel Proust fait ce terrible constat dans son premier livre, Jean Santeuil, *une œuvre de jeunesse débutée en 1895 et laissée inachevée. Trois cents ans plus tôt, cette même phrase aurait sans doute contrarié Michel de Montaigne qui intimait plutôt ses lecteurs à* profiter *de la vie, et non pas à s'en soucier. Mais les deux écrivains parviennent malgré tout à se rejoindre quelque part entre les lignes, Proust connaissant Montaigne et s'en inspirant, discrètement, tout au long de son roman.*

★ ★ ★

Proust a certainement lu Montaigne ; mais l'auteur des *Essais* n'est, à ma connaissance, jamais cité dans la *Recherche*. Et pourtant…

Montaigne et Proust ont en partage un certain goût pour les phrases à rallonge. Mais ils y viennent différemment. Montaigne procède par *allongeailles*, alors que Proust travaille essentiellement par ajout.

Autrement dit, la phrase de Montaigne enfle de l'intérieur, alors que la phrase proustienne s'étend démesurément, jusqu'à réaliser une spirale qui, tout en donnant le sentiment de tourner sur elle-même, s'approche insensiblement de l'objet à saisir. L'un et l'autre auraient été bien embarrassés, néanmoins, s'ils avaient eu un traitement de texte sous la main : comment clore une phrase quand il est possible, sans rature, d'en affiner à l'infini le propos ? Quand aucune matière (ni papier ni encre) n'empêche d'ajouter une précision de plus ? Songez qu'entre béquets et paperoles certaines phrases de Proust mesurent plus d'un mètre !

Mais la ressemblance va bien plus loin. Contrairement à Marcel Proust – qui trouve refuge dans l'identité d'emprunt d'un narrateur dont il ne partage, à vrai dire, que le prénom – Montaigne se décrit lui-même et en son nom propre. Pourtant, le « Moi » qu'il met en scène dans les *Essais* est un être diffracté, pluriel, mobile. Montaigne ne peint pas l'identité mais le passage. Tout comme le narrateur proustien dont les « moi » successifs varient selon l'époque exhumée par un souvenir volontaire, Montaigne, pris dans la durée, diffère de lui-même à chaque phrase.

Nos deux mémorialistes de l'intime ont également en commun l'ambition de « saisir » le temps, c'est-à-dire le refus de s'en tenir à la tragédie du temps qui passe. Chez le dernier Montaigne, cela prend la forme d'un art de jouir et de « vivre à propos ». Dans la *Recherche*, dont le narrateur est un ami

du présent qui passe (bien plus qu'un nostalgique
du temps passé), c'est le souci constant d'exalter et
d'éterniser le transitoire. Proust ne veut pas échapper au monde, mais l'aimer en chacune de ses parties
comme en chacun de ses instants. L'art ne guérit pas
du temps, mais retrouve le temps dans son épaisseur
et son indécomposable simplicité, par-delà le temps
des horloges. Le « temps retrouvé » n'est pas un rêve
de pierre mais la coïncidence éternellement fugace
de l'être et du savoir. Le remède à la mort est à chercher dans l'éternité d'un instant, plus que dans le
calcul improbable de la postérité.

L'autre grand thème, cher à Montaigne comme
à Proust, c'est l'amitié, à ceci près que l'amitié, pour
Montaigne, constitue une sorte de communisme à
deux où tout ce qui n'est pas donné est perdu, tandis
qu'elle est tempérée, dans la *Recherche*, par le plaisir désintéressé que prend le narrateur à observer
les faits et gestes de son meilleur ami le marquis de
Saint-Loup. C'est ainsi qu'à la mort de La Boétie,
Montaigne composera un mausolée littéraire pour
son ami, tandis que, suivant le chemin exactement
inverse, le narrateur proustien découvre, à la mort de
Saint-Loup, combien cet homme, indépendamment
de ses atavismes ou de sa beauté de fresque, était
tout simplement généreux et bon. C'est la grande
expérience du deuil, qui est celle de ne jamais sentir autant la présence de quelqu'un qu'à l'instant où
l'on comprend qu'il a disparu pour toujours. L'amitié chez Proust est d'emblée considérée comme un

malentendu, un mensonge, une perte de temps. Mais surtout, et c'est le plus grave : l'amitié est plus pauvre en signes que l'amour. La désillusion amoureuse est incomparablement plus riche que l'amitié.

La mort, enfin, est un autre pont entre les deux œuvres de Montaigne et de Proust qui achèvent leur livre par la même métaphore des hommes « juchés sur de vivantes échasses ». Mais la métaphore est employée, chez Proust, à l'appui de l'idée que les hommes occupent dans le temps une place autrement considérable que dans l'espace, tandis que Montaigne se sert des échasses pour railler les individus qui, dans le grand théâtre humain, ont l'orgueil de se prendre pour leur fonction, et de croire que les hommages qu'ils reçoivent sont un effet de leur mérite propre, au lieu d'être un effet du hasard. Autrement dit, Montaigne se moque de la vanité des hommes. Proust évalue la vanité de toute chose à l'aune de l'œuvre qui les sauve du néant.

Robert de Saint-Loup, le grand ami du narrateur, est mort à la guerre. Dans *Le Temps retrouvé*, le héros se souvient alors de sa rencontre avec le jeune homme, et se rend compte, trop tard, de sa bonté, et de l'attachement qu'il lui portait.

> « Mon départ de Paris se trouva retardé par une nouvelle qui, par le chagrin qu'elle me causa, me rendit pour quelque temps incapable de me mettre en route.

J'appris, en effet, la mort de Robert de Saint-Loup, tué le surlendemain de son retour au front, en protégeant la retraite de ses hommes. Jamais un homme n'avait eu moins que lui la haine d'un peuple (et quant à l'empereur, pour des raisons particulières, et peut-être fausses, il pensait que Guillaume II avait plutôt cherché à empêcher la guerre qu'à la déchaîner). Pas de haine du germanisme non plus ; les derniers mots que j'avais entendus sortir de sa bouche, il y avait six jours, c'étaient ceux qui commencent un lied de Schumann et que sur mon escalier il me fredonnait, en allemand, si bien qu'à cause des voisins je l'avais fait taire. Habitué par une bonne éducation suprême à émonder sa conduite de toute apologie, de toute invective, de toute phrase, il avait évité devant l'ennemi, comme au moment de la mobilisation, ce qui aurait pu assurer sa vie, par cet effacement de soi devant les autres que symbolisaient toutes ses manières, jusqu'à sa manière de fermer la portière de mon fiacre quand il me reconduisait, tête nue, chaque fois que je sortais de chez lui. Pendant plusieurs jours je restai enfermé dans ma chambre, pensant à lui. Je me rappelais son arrivée, la première fois, à Balbec, quand, en lainages blanchâtres, avec ses yeux verdâtres et bougeants comme la mer, il avait traversé le hall attenant à la grande salle à manger dont les vitrages donnaient sur la mer. Je me rappelais l'être si spécial qu'il m'avait paru être alors, l'être dont ç'avait été un si grand souhait de ma part d'être l'ami. Ce souhait s'était réalisé au-delà de ce que j'aurais jamais pu croire, sans me donner pourtant presque aucun plaisir alors, et ensuite je m'étais rendu compte de tous les grands mérites et d'autre chose aussi que cachait cette apparence élégante. Tout cela, le bon comme le mauvais, il l'avait donné sans compter, tous les jours, et le dernier en allant attaquer une tranchée, par générosité, par mise au service des autres, de tout ce qu'il possédait, comme il avait un soir couru sur les canapés du restaurant pour ne pas me déranger [1]. »

---

1. *Ibid.*, p. 2247.

3

Proust et Schopenhauer

« On ne connaît pas son bonheur. On n'est jamais aussi malheureux qu'on croit. »

(*Du côté de chez Swann.*)

Dans « Un amour de Swann », Marcel Proust décrit admirablement l'esprit torturé de Charles Swann qui se cherche des bonnes raisons pour rester auprès d'Odette. Tandis qu'il s'interroge un soir sur les sentiments qu'il lui porte, il entend la sonate de Vinteuil, chef-d'œuvre musical qui a le don d'apaiser son inquiétude et qui lui procure une sensation de bonheur. Mais celle-ci se dissipe rapidement, Swann se rendant compte qu'il est malheureux, et qu'il n'y peut rien. À travers les pensées de ce personnage s'ébauche ainsi l'une des multiples formes du dolorisme proustien, très proche de la pensée d'Arthur Schopenhauer dont l'œuvre majeure, Le Monde comme volonté et comme représentation, *irrigue les pages d'À la recherche du temps perdu.*

* * *

Schopenhauer est le philosophe des mondains, c'est-à-dire des snobs dont l'intelligence culmine dans un pessimisme complaisant et des audaces de salon. Mme de Cambremer le cite beaucoup parce qu'elle peut ainsi briller à peu de frais, en enfilant comme autant de perles les syntagmes nihilistes. Schopenhauer, c'est un pessimisme flatteur pour celui qui le brandit : c'est la caution des gens qui, refusant d'être dupes, font profession de lucidité face au monde.

Schopenhauer est souvent réduit à un recueil de noires citations, au premier rang desquelles se trouve l'idée cent fois rebattue que nos vies se partagent entre la souffrance (du manque) et l'ennui (de la possession) : en d'autres termes, nous passons notre vie à désirer l'objet dont la possession éteint le désir. Or, dans le monde proustien, où l'amour renseigne d'abord sur « le peu qu'est la réalité pour nous », les variations du désir obéissent aux mêmes règles. C'est exactement ce qui se passe entre le narrateur et Albertine (voire, entre Swann et Odette, dont la jalousie qu'elle lui inspire est à l'origine de l'amour qu'il croit éprouver) : tant qu'elle n'est pas là, il souffre et, quand elle est prisonnière, elle se transforme en captive indifférente, en oiseau dont il aurait coupé les ailes. C'est d'un désir indexé sur le manque, où la satisfaction est toujours insatisfaisante (puisque la mélancolie de posséder succède immanquablement à la douleur de désirer), c'est d'un désir que l'absence renouvelle et que la routine anéantit, dont l'objet qu'il se donne n'est jamais désiré pour lui-même mais en vue de l'apaisement que sa possession laisse espérer, que le narrateur déduit les « feux tournants » de la jalousie.

Pour Schopenhauer, l'art est consolateur et c'est

même sa vertu. D'un bonheur réduit à l'absence de souffrance, le philosophe pense qu'il vaut mieux éteindre le désir, ne plus désirer, que souffrir indéfiniment de l'insatisfaction. Or, à l'image de la différence entre Schopenhauer (qui confond le bonheur et l'absence de douleur) et Nietzsche (dont la joie embrasse tous les chantiers de l'existence), Proust demande à l'art non pas l'apaisement mais l'exaltation – de la douleur ou de la joie, qu'importe. Quand Swann, par exemple, entend les cinq notes qui composent une « petite phrase » imaginaire, il éprouve une félicité divine tout en comprenant que l'insouciance appartient désormais à un monde mystérieux où nul ne peut revenir « quand les portes s'en sont refermées ». Pour le meilleur ou pour le pire, la musique exprime ce que nous sommes, au lieu de le contrefaire, et densifie nos affects au lieu de les atténuer.

Mais Schopenhauer développe également l'idée, plus tragique que pessimiste, selon laquelle l'individu, si petit et insignifiant soit-il, peut néanmoins parvenir au sentiment océanique de sa propre petitesse. L'homme est soluble dans la vie ; sa mort n'est qu'une nécessité, à la façon du grain qui, en mourant, féconde le chêne qui va pousser. Qu'est-ce à dire ? Que *la* vie ne s'arrête pas à *ma* vie. Que chaque individu, s'il est artiste, est avant tout l'occasion d'une œuvre qui va bien au-delà de lui. C'est de cette façon que, chez Proust comme chez Schopenhauer, l'existence n'est une impasse que lorsqu'on s'en tient au moi. Mais le pessimisme peut être surmonté quand le regard porte plus loin que l'horizon tracé par la petite vie d'un individu dont la disparition est comparable au suicide cellulaire. Qu'est-ce que l'œuvre d'art? Le deuil d'une personne au profit du diamant dont elle n'est que l'occasion. Il faut mourir, accepter de mourir, à soi-même et au sentiment que notre propre mort est une catastrophe… «Victor Hugo dit: "Il faut que l'herbe pousse et que les enfants meurent." Moi je dis que la loi cruelle de l'art est que les êtres meurent et que nous-mêmes mourions en épuisant toutes les souffrances pour que pousse l'herbe non de l'oubli mais de la vie éternelle, l'herbe drue des œuvres fécondes, sur laquelle les générations viendront faire gaiement, sans souci de ceux qui dorment en dessous, leur "déjeuner sur l'herbe". »

Depuis quelque temps, Albertine s'est installée dans l'appartement parisien du narrateur. Mais cette nouvelle vie de couple, qui fut décidée dans le but de calmer la jalousie maladive du héros, ne fait étrangement que la prolonger. Un infernal mécanisme de la douleur que Marcel Proust développe dans *La Prisonnière*.

« La souffrance dans l'amour cesse par instants, mais pour reprendre d'une façon différente. Nous pleurons de voir celle que nous aimons ne plus avoir avec nous ces élans de sympathie, ces avances amoureuses du début, nous souffrons plus encore que, les ayant perdus pour nous, elle les retrouve pour d'autres;

puis de cette souffrance-là nous sommes distraits par un mal nouveau plus atroce, le soupçon qu'elle nous a menti sur sa soirée de la veille, où elle nous a trompés sans doute ; ce soupçon-là aussi se dissipe, la gentillesse que nous montre notre amie nous apaise ; mais alors un mot oublié nous revient à l'esprit, on nous a dit qu'elle était ardente au plaisir, or nous ne l'avons connue que calme ; nous essayons de nous représenter ce que furent ses frénésies avec d'autres, nous sentons le peu que nous sommes pour elle, nous remarquons un air d'ennui, de nostalgie, de tristesse pendant que nous parlons, nous remarquons comme un ciel noir les robes négligées qu'elle met quand elle est avec nous, gardant pour les autres celles avec lesquelles, au commencement, elle cherchait à nous éblouir. Si au contraire elle est tendre, quelle joie un instant ! mais en voyant cette petite langue tirée comme pour un appel des yeux, nous pensons à celles à qui il était si souvent adressé que, même peut-être auprès de moi, sans qu'Albertine pensât à elles, il était demeuré, à cause d'une trop longue habitude, un signe machinal. Puis le sentiment que nous l'ennuyons revient. Mais brusquement cette souffrance tombe à peu de chose en pensant à l'inconnu malfaisant de sa vie, aux lieux impossibles à connaître où elle a été, est peut-être encore dans les heures où nous ne sommes pas près d'elle, si même elle ne projette pas d'y vivre définitivement, ces lieux où elle est loin de nous, pas à nous, plus heureuse qu'avec nous. Tels sont les feux tournants de la jalousie [1]. »

---

1. *Ibid.*, p. 1679.

4

Proust et Nietzsche

> « On ne guérit d'une souffrance qu'à condition de l'éprouver pleinement. »
>
> (*Albertine disparue.*)

Albertine a quitté le narrateur, car la jalousie de celui-ci rendait leur relation impossible. La « prisonnière », qui s'est enfuie sans prévenir, a donc recouvré sa liberté. Pour le narrateur, qui prévoyait lui-même de la quitter, cela aurait dû être un soulagement. Mais la mécanique du désir se remet en marche, et il veut à tout prix la reconquérir. Il ne le pourra pas, malheureusement, puisqu'il va apprendre la mort de la jeune fille – un décès qui n'apaisera pas ses doutes, car il la soupçonne toujours d'être homosexuelle. C'est ainsi qu'il va connaître la « morsure » de la souffrance : non seulement, il ne reverra jamais Albertine, mais surtout, il ne saura jamais si elle lui avait menti. Pourtant, le chagrin selon Marcel Proust n'est pas forcément synonyme de condamnation. Il est au contraire, à la manière de Nietzsche, cette étape nécessaire qui endurcit l'individu.

★ ★ ★

Proust et Nietzsche sont experts en douleur. L'un et l'autre ont vécu dans la maladie, et développé une remarquable attention aux souffrances du corps. On

pourrait même dire, en un sens, que, pour le philosophe comme pour l'écrivain, la douleur est un outil
de connaissance, et d'« inspiration » – au sens physio-
logique du terme. Sans être rédempteur, leur dolorisme promet une récompense plus intéressante que le
monde des cieux. La douleur est le scalpel par excellence qui leur permet non pas de disséquer le monde,
mais de le comprendre et, littéralement, de *l'éprouver*.

« Qui nous chantera une musique assez gaie pour
ne pas chasser nos idées noires? » se demande Nietzsche
à la fin du *Gai Savoir.* De fait, la musique n'est pas un
antalgique et ne promet aucune consolation. Son rôle
est de creuser la douleur, d'explorer la peine en lui
donnant les contours d'un univers, et, *in fine,* de justi-
fier l'existence sans avoir jamais besoin, pour cela, de
lui trouver un sens. Or, c'est bien ce qui se passe dans
la *Recherche,* à l'écoute de l'impalpable petite phrase
de la sonate de Vinteuil, qui, parlant, à mots cou-
verts, une langue secrète dont l'acuité tient précisément à son caractère évasif, qui devient immatérielle à
mesure qu'elle s'incarne, et accomplit le tour de force
d'exprimer à merveille des choses aussi différentes
qu'un état de l'âme ou du cœur, le décalage entre un
amour et les qualités objectives de l'être qu'il prend
pour souffre-douleur, un arc-en-ciel volatile, une pas-
sante insoucieuse ou encore la lumière d'une lampe
effaçant soudain jusqu'au souvenir de l'obscurité, etc.

La douleur est-elle soluble dans la connaissance
qu'on en retire? Et si la musique, délestée de l'obli-
gation d'avoir un sens ou de représenter quoi que ce

soit, jaillissant à l'insu des paroles elles-mêmes, avait pour vertu de rendre nos douleurs plus intéressantes que douloureuses ? C'est en explorant le chagrin que la joie musicale l'emporte sur les douleurs de la vie. Le premier personnage à faire cette expérience dans la *Recherche* n'est pas le narrateur, mais Swann, dont la jalousie, ponctuellement tisonnée par la musique de Vinteuil, cède régulièrement la place à l'émerveillement devant les mécanismes qui lui donnent le jour et sur lesquels il croit n'avoir aucune prise.

Swann, d'ailleurs, est peut-être le plus nietzschéen des personnages de Proust, par l'échec même de son existence. Le talent qui est le sien, de trouver la vie parfois plus intéressante que douloureuse, annonce la grande ambition du narrateur, qui est de résoudre la douleur dans la littérature. Mais Swann meurt avant d'avoir fini son étude sur Vermeer, avant d'avoir produit le livre qu'il aurait pu écrire, comme Zarathoustra lui-même s'arrête à la lisière du surhomme, comme Moïse se voit privé par Dieu d'entrer en terre promise. L'échec de Swann est nécessaire à *La Recherche du temps perdu*, de même que l'échec de Zarathoustra est indispensable à la surhumanité que Nietzsche appelle de ses vœux et qui, comme chez Proust, consiste à aimer la vie au point d'en désirer le retour éternel.

Nous sommes dans *Du côté de chez Swann*. Convié un soir chez la marquise de Saint-Euverte,

Charles Swann, tourmenté par la pensée d'Odette, tente de dissiper son trouble au milieu de la jungle mondaine. Mais la sottise et le ridicule des invités qui l'entourent l'ennuient et le plongent dans une tristesse profonde. Soudain, une mélodie surgit : c'est la petite phrase de Vinteuil qui semble mettre en notes ses propres sentiments.

« Il y a dans le violon – si, ne voyant pas l'instrument, on ne peut pas rapporter ce qu'on entend à son image, laquelle modifie la sonorité – des accents qui lui sont si communs avec certaines voix de contralto, qu'on a l'illusion qu'une chanteuse s'est ajoutée au concert. On lève les yeux, on ne voit que les étuis, précieux comme des boîtes chinoises, mais, par moments, on est encore trompé par l'appel décevant de la sirène ; parfois aussi on croit entendre un génie captif qui se débat au fond de la docte boîte, ensorcelée et frémissante, comme un diable dans un bénitier ; parfois enfin, c'est, dans l'air, comme un être surnaturel et pur qui passe en déroulant son message invisible.

» Comme si les instrumentistes, beaucoup moins jouaient la petite phrase qu'ils n'exécutaient les rites exigés d'elle pour qu'elle apparût, et procédaient aux incantations nécessaires pour obtenir et prolonger quelques instants le prodige de son évocation, Swann, qui ne pouvait pas plus la voir que si elle avait appartenu à un monde ultra-violet, et qui goûtait comme le rafraîchissement d'une métamorphose dans la cécité momentanée dont il était frappé en approchant d'elle, Swann la sentait présente, comme une déesse protectrice et confidente de son amour, et qui pour pouvoir arriver jusqu'à lui devant la foule et l'emmener à l'écart pour lui parler, avait revêtu le déguisement de cette apparence sonore. Et tandis qu'elle passait, légère, apaisante et murmurée comme un parfum, lui disant ce qu'elle avait à lui dire et dont il scrutait tous les mots, regrettant de les voir s'envoler si vite, il faisait involontairement avec ses lèvres le mouvement de baiser au passage le corps harmonieux et fuyant. Il ne se sentait plus exilé et seul puisque, elle, qui s'adressait à lui, lui parlait à mi-voix d'Odette. Car il n'avait plus comme autrefois l'impression qu'Odette et lui n'étaient pas connus de la petite phrase. C'est que si souvent elle avait été témoin de leurs joies ! Il est vrai que souvent aussi elle l'avait averti de leur fragilité. Et même, alors que dans ce temps-là il devinait de la souffrance dans son sourire, dans son intonation limpide et désenchantée, aujourd'hui il y trouvait plutôt la grâce d'une résignation presque gaie. De ces chagrins dont elle lui parlait autrefois et qu'il la voyait, sans qu'il fût atteint par eux, entraîner en souriant dans son cours sinueux et rapide, de ces chagrins qui maintenant étaient devenus les siens sans qu'il eût l'espérance d'en être jamais délivré, elle semblait lui dire comme jadis de son bonheur : "Qu'est-ce, cela ? tout cela n'est rien." Et la pensée de Swann se porta pour la première fois dans un élan de pitié et de tendresse vers ce Vinteuil, vers ce frère inconnu et sublime qui lui aussi avait dû tant souffrir ; qu'avait pu être sa vie ? au fond de quelles douleurs avait-il puisé cette force de dieu, cette puissance illimitée de créer[1] ? »

---

1. *Ibid.*, p. 279.

5

Proust et Camus

« Par l'art seulement, nous pouvons sortir de nous. »

(*Le Temps retrouvé.*)

Aux yeux du narrateur, l'art permet à l'homme de « savoir ce que voit un autre de cet univers ». Autrement dit, grâce à l'art, nous accédons à un réel « démultiplié », plus intense, et plus riche. En mettant de côté nos préoccupations et notre amour-propre, nous accédons à ce que Marcel Proust nomme « l'art vivant ». Ainsi, un artiste tourné seulement vers lui-même ne serait pas un véritable artiste… Un credo ressemblant étrangement à celui d'Albert Camus qui, dans les années 1950, évoque un art qui parlerait « de tous et à tous ». Et s'il n'a jamais rencontré Proust, l'auteur de L'Étranger *– qui est né en 1913, l'année de la publication de* Du côté de chez Swann *– n'en est pas moins un frère de pensée.*

* * *

Camus ne cite jamais nommément Proust (sinon dans ses *Carnets*), mais il arrive qu'il lui emprunte des phrases en y apportant des inflexions décisives. Ainsi, Camus entame une nouvelle intitulée « Entre

oui et non » (située dans *L'Envers et l'endroit*) par
« S'il est vrai que les seuls paradis sont ceux qu'on a
perdus… ». Dans la *Recherche*, Proust écrit « les vrais
paradis sont les paradis qu'on a déjà perdus ». Entre
Proust et Camus, le « vrai paradis » est devenu le
« seul paradis ». La solitude a remplacé la vérité chez
le philosophe qui se satisfait du parfum des fleurs, du
souffle du vent, du baiser de la mer.

Dans la *Recherche*, le narrateur ressuscite la vie
de Combray : ses odeurs, ses couleurs, les rues, les
maisons, l'obliquité de la lumière dans l'escalier qui
mène à sa chambre…

Il traque l'éternité d'une sensation, et s'attache
à penser que la perte du paradis est la condition de
véritables retrouvailles (littéraires) avec lui. Il faut
en passer par la mort, il faut en passer par le deuil
– de l'enfance, de la grand-mère, d'Albertine, de
l'ami Saint-Loup – pour surmonter par la littérature
ce que Proust appelle « l'étrange contradiction de
la survivance et du néant ». Sans perte, la vie n'est
qu'une agitation qui retourne au calme. Sans mort
des autres, pas de « déjeuner sur l'herbe ». Camus, de
son côté, cherche l'enfance dans la fidélité à la misère,
c'est-à-dire à soi-même. Alors il décrit le quartier
Belcourt, l'odeur de la poussière, les cours de M.
Germain, le silence de sa mère… Mais contrairement
à Proust qui traque une vérité inaltérable, Camus se
demande, dans *Noces* : « Qu'ai-je à faire d'une vérité
qui ne doive pas pourrir, elle n'est pas à ma mesure

et l'aimer serait un faux-semblant. » C'est ainsi qu'il nuance la profession de foi proustienne.

L'enfance et le paradis perdu sont les motifs du *Premier homme* – le dernier livre de Camus, cette œuvre inachevée qu'il faudra, selon le mot de Sartre, s'habituer à voir comme une œuvre totale, dont l'auteur est mort pendant sa rédaction, d'un accident de voiture sur la route de Villeblevin, le 4 janvier 1960. Or, cette mort stupide, absurde, qui se trompe d'instant, qui descend l'échelle et fauche un auteur dans la force de l'âge et en pleine possession de son talent, est exactement décrite par le narrateur proustien qui, découvrant à la fin du *Temps retrouvé* sa propre vocation d'artiste, remplace immédiatement la grande peur métaphysique de la mort par la crainte prosaïque de mourir d'un accident avant d'avoir pu donner le jour à l'œuvre qu'il porte en lui : « [...] et dire que tout à l'heure, quand je rentrerai chez moi, il suffirait d'un choc accidentel pour que mon corps fût détruit et que mon esprit, d'où la vie se retirerait, fût obligé de lâcher à jamais les idées qu'en ce moment il enserrait, protégeait anxieusement de sa pulpe frémissante et qu'il n'avait pas eu le temps de mettre en sûreté dans un livre ».

À la toute fin du *Temps retrouvé*, le narrateur se rend compte qu'il est « grand temps » pour lui de se mettre à écrire. Mais la peur de ne pouvoir mener à bien son projet le saisit...

« Je n'avais plus mon indifférence des retours de Rivebelle, je me sentais accru de cette œuvre que je portais en moi (comme par quelque chose de précieux et de fragile qui m'eût été confié et que j'aurais voulu remettre intact aux mains auxquelles il était destiné et qui n'étaient pas les miennes). Maintenant, me sentir porteur d'une œuvre rendait pour moi un accident où j'aurais trouvé la mort, plus redoutable, même (dans la mesure où cette œuvre me semblait nécessaire et durable) absurde, en contradiction avec mon désir, avec l'élan de ma pensée, mais pas moins possible pour cela puisque (comme il arrive chaque jour dans les incidents les plus simples de la vie, où, pendant qu'on désire de tout son cœur ne pas faire de bruit à un ami qui dort, une carafe placée trop au bord de la table tombe et le réveille) les accidents étant produits par des causes matérielles peuvent parfaitement avoir lieu au moment où des volontés fort différentes, qu'ils détruisent sans les connaître, les rendent détestables. Je savais très bien que mon cerveau était riche d'un bassin minier, où il y avait une étendue immense et fort diverse de gisements précieux. Mais aurais-je le temps de les exploiter ? J'étais la seule personne capable de le faire. Pour deux raisons : avec ma mort eût disparu non seulement le seul ouvrier mineur capable d'extraire ces minerais, mais encore le gisement lui-même ; or, tout à l'heure quand je rentrerais chez moi, il suffirait de la rencontre de l'auto que je prendrais avec une autre pour que mon corps fût détruit et que mon esprit, d'où la vie se retirerait, fût forcé d'abandonner à tout jamais les idées nouvelles qu'en ce moment même, n'ayant pas eu le temps de les mettre plus en sûreté dans un livre, il enserrait anxieusement de sa pulpe frémissante, protectrice, mais fragile. Or par une bizarre coïncidence, cette crainte raisonnée du danger naissait en moi à un moment où, depuis peu, l'idée de la mort m'était devenue indifférente. La crainte de n'être plus moi m'avait fait jadis horreur, et à chaque nouvel amour que j'éprouvais (pour Gilberte, pour Albertine), parce que je ne pouvais supporter l'idée qu'un jour l'être qui les aimait n'existerait plus, ce qui serait comme une espèce de mort. Mais à force de se renouveler, cette crainte s'était naturellement changée en un calme confiant[1]. »

_____

1. *Ibid.*, p. 2392-2393.

VIII

Les arts

par

Adrien Goetz

Portrait de lecteur

« La vérité suprême de la vie est dans l'art. »

(*Le Temps retrouvé.*)

À la fin de la Recherche, *le narrateur s'interroge sur la matière de son livre à venir. Que contiennent vraiment les pages d'un roman ? Une part de la vie de l'écrivain, indéniablement, avec son lot de souvenirs, de joies et de chagrins. Cette même idée de « vérité » dans l'art est omniprésente chez John Ruskin, grand inspirateur de Marcel Proust qui poursuit dans son roman la réflexion du critique d'art anglais, en explorant les beautés de la musique, de la peinture ou encore de l'écriture…*

* * *

Proust a lu Ruskin avec enthousiasme. Il a compris qu'une âme un peu semblable à la sienne existait quelque part. Il a même voulu traduire ses œuvres. Lui qui parlait très mal anglais a été, en s'appuyant sur des mots à mots faits par sa mère, le traducteur de Ruskin, son préfacier. Il a introduit en France cet écrivain qui parle d'art, mais aussi d'une conception de la vie où l'on revient à un monde artisanal, à une vie qui est celle des villages, celle d'une sorte de Combray universel, comme le petit village du comte Tolstoï, un hameau à partir duquel on peut réinventer le monde. Et puis Ruskin lui a donné envie de voyager, à Venise notamment, avec Reynaldo Hahn. Tous les deux montaient sur un petit escabeau qu'ils avaient emprunté pour aller au palais des Doges retrouver les chapiteaux que Ruskin avait décrits, pour les voir de leurs yeux.

Ruskin a l'idée, d'une part, que l'amour de l'art peut sauver nos âmes, et d'autre part, qu'on ne doit pas restaurer les bâtiments anciens ni les monuments du passé, encore moins les réinventer, qu'il faut leur laisser prendre la patine du temps, et que devant le grand portail de la cathédrale d'Amiens, devant le visage du « beau Dieu » d'Amiens, on peut donner un sens à son existence. Cela fut pour Proust une révélation. Il est allé voir les portails des églises la nuit, avec son automobile. Il partait, avec Agostinelli au volant, et puis il s'arrêtait vers trois heures du matin devant la cathédrale de Bayeux. Il braquait les phares et il regardait. C'est donc bien une appréhension directe de l'art que le romancier doit à cette lecture de Ruskin, qui a changé sa vie, qui l'a sans doute aussi aidé à passer de la traduction à l'écriture.

Proust a compris que, comme écrivain, il pouvait rassembler un imagier médiéval, qu'il pouvait construire lui aussi *sa* cathédrale – ce que Hugo, tout autrement, avait réussi avec *Notre-Dame de Paris*. Décisive en ce domaine est l'influence d'Émile

Mâle, le grand historien français de l'art médiéval et moderne, qui a déchiffré l'iconographie du Moyen Âge, et nous a appris à reconnaître les figures de Chartres. Les deux hommes se sont beaucoup écrit.

L'amour de Proust pour les arts commence très tôt. Il s'illustre comme critique d'art dans plusieurs revues, il court les expositions, les musées, il fréquente les salons avec des artistes, il côtoie les musiciens… Et, dans *À la recherche du temps perdu*, il nous donne des exemples de ces créateurs. Ce sont les personnages que je préfère dans le roman, celui de l'écrivain Bergotte, du musicien Vinteuil et du peintre Elstir. Je les ai découverts au lycée, en terminale scientifique. On me torturait avec neuf heures de mathématiques et neuf heures de physique chaque semaine : Proust était une évasion. J'ai commencé à me lancer dans la lecture d'*À la recherche du temps perdu* pendant un an, sans savoir ce qui m'attendait. C'était une sorte d'antidote, un refuge pour moi, une protection. C'était le plaisir de faire une chose qui me paraissait totalement inutile, gratuite… Puis, je me suis engagé dans des études littéraires, et là je me suis rendu compte que cette lecture gratuite et luxueuse me servait pour tout, la philosophie, l'histoire, la littérature…

À travers ce livre, Proust nous montre des artistes à l'œuvre, des miroirs de lui-même. Il est ainsi animé de la même volonté que Rodin avec *La Porte de l'Enfer*, qui réunit ses sculptures en une seule œuvre, ou que Claude Monet dans le cycle des *Nymphéas*. C'était aussi le projet wagnérien : faire une œuvre qui serait tout un monde. Il se place dans la lignée des *Mémoires* de Saint-Simon, mais aussi de Balzac ou de Chateaubriand... Ce sont des écrivains de la nuit, des écrivains qui créent un monde qui est le leur mais qui nous disent, de manière universelle, tout ce que chacun peut ressentir. Proust à son tour veut raconter ses *Mille et une Nuits*.

Dans *Sodome et Gomorrhe*, le narrateur se trouve à Balbec, en pleine discussion avec Mme de Cambremer, sœur de Legrandin, le snob de Combray. Et voici que cette (fausse) amoureuse des arts, adoratrice de Claude Monet, se met à parler de peinture...

« On ne peut pas dire qu'elle fût bête ; elle débordait d'une intelligence que je sentais m'être entièrement inutile. Justement, le soleil s'abaissant, les mouettes étaient maintenant jaunes, comme les nymphéas dans une autre toile de cette même série de Monet. Je dis que je la connaissais et (continuant à imiter le langage du frère dont je n'avais pas encore osé citer le nom) j'ajoutai qu'il était malheureux qu'elle n'eût pas eu plutôt l'idée de venir la veille, car à la même heure, c'est une lumière de Poussin qu'elle eût pu admirer. Devant un hobereau normand inconnu des Guermantes et qui lui eût dit qu'elle eût dû venir la veille, Mme de Cambremer-Legrandin se fût sans doute redressée d'un air offensé. Mais j'aurais pu être bien plus familier encore qu'elle n'eût été que douceur moelleuse et fondante ; je pouvais dans la chaleur de cette belle fin d'après-midi butiner à mon gré dans le gros gâteau de miel que Mme de Cambremer était si rarement et qui remplaça les petits fours que je n'eus pas l'idée d'offrir. Mais le nom de Poussin, sans altérer l'aménité de la femme du monde, souleva les protestations de la dilettante. En entendant ce nom, Mme de Cambremer fit entendre à six reprises que ne séparait presque aucun intervalle, ce petit claquement de la langue contre les lèvres qui sert à signifier à un enfant qui est en train de faire une bêtise, à la fois un blâme d'avoir commencé et l'interdiction de poursuivre. "Au nom du ciel, après un peintre comme Monet, qui est tout bonnement un génie, n'allez pas nommer un vieux poncif sans talent comme Poussin. Je vous dirai tout nûment que je le trouve le plus barbifiant des raseurs. Qu'est-ce que vous voulez, je ne peux pourtant pas appeler cela de la peinture. Monet, Degas, Manet, oui, voilà des peintres ! C'est très curieux", ajouta-t-elle, en fixant un regard scrutateur et ravi sur un point vague de l'espace où elle apercevait sa propre pensée, "c'est très curieux, autrefois je préférais Manet. Maintenant, j'admire toujours Manet, c'est entendu, mais je crois que je lui préfère peut-être encore Monet. Ah ! les cathédrales !" Elle mettait autant de scrupules que de complaisance à me renseigner sur l'évolution qu'avait suivie son goût. Et on sentait que les phases par lesquelles avait passé ce goût n'étaient pas, selon elle, moins importantes que les différentes manières de Monet lui-même. Je n'avais pas du reste à être flatté qu'elle me fît confidence de ses admirations, car, même devant la provinciale la plus bornée, elle ne pouvait pas rester cinq minutes sans éprouver le besoin de les confesser[1]. »

1. Marcel Proust, *À la recherche du temps perdu*, Paris, Gallimard, coll. « Quarto », texte établi sous la direction de Jean-Yves Tadié, 1999, p. 1368.

2

La musique

« Je me demande si la musique n'était pas l'exemple unique de ce qu'aurait pu être [...] la communication des âmes. »

(*La Prisonnière*.)

Invité un soir chez les Verdurin, le narrateur est sorti de sa rêverie par une musique, le septuor de Vinteuil. Cette mélodie, qu'il entend pour la première fois, le console de ses peines de cœur. Mais quand elle s'interrompt, il retombe « dans la plus insignifiante des réalités »... Ses voisins bavards, qui se délectent de commentaires insipides, n'ont pas sa mélomanie – ni celle de Proust – qui donne à la Recherche *les contours d'un roman musical, en grande partie grâce aux douces notes de ce fameux Vinteuil, brillant compositeur fictif, également auteur de la célèbre petite sonate.*

★ ★ ★

Marcel Proust était un grand amateur de musique. Il connaissait le solfège, savait un peu jouer du piano, et appréciait les œuvres « difficiles » de Beethoven (la sonate opus 111, par exemple, l'« Himalaya » du pianiste). Il les aimait tellement qu'il voulait les entendre chez lui et s'offrait parfois le luxe de faire venir à son domicile – Céleste Albaret le raconte – un quatuor qui jouait pour lui.

Quelques années plus tard, sa rencontre – un vrai coup de foudre – avec Reynaldo Hahn accroît cette mélomanie. C'est sans doute cet ami (et futur amant), grand amateur des mélodies anciennes, qui l'oriente vers Saint-Saëns. Ensemble, ils composent des pièces : les poèmes que Proust a écrits devant des tableaux du Louvre sont mis en musique par Reynaldo Hahn et joués en présence des deux auteurs dans le salon de Madeleine Lemaire.

Enfin, il y a Wagner. L'un des premiers textes dans lequel Proust parle de la musique s'intitule « Mélancolique villégiature de Mme de Breyves » dans *Les Plaisirs et les Jours*. Il aime ses grandes pages d'orchestre telles que le Prélude de *Tristan*, et lui ménage même une place dans la *Recherche*, tout en prenant soin de l'ancrer dans le climat patriotique de l'époque (Wagner, grand musicien de l'Allemagne, devient parfois un sujet de moquerie quand les Verdurin vont à Bayreuth). Néanmoins, son œuvre d'art totale demeure celle dans laquelle le spectateur est invité à entrer, et sa musique, qui est une forme d'architecture, fournit au romancier le modèle de cette cathédrale qu'il doit construire.

Dans le roman, Proust fait de la phrase musicale – celle de Vinteuil – un commentaire presque stylistique, un véritable morceau de littérature. Elle est décrite par des mots, sous forme de fragments, sans que le lecteur puisse en avoir une image complète, mais le génie du romancier réussit à nous la faire entendre. Proust invente aussi un musicien que l'on découvre à Combray à travers le personnage de sa fille, la sulfureuse Mlle Vinteuil, qui vit des relations saphiques sous les yeux du narrateur, sur un canapé, observée à la dérobée. Son père est un modeste professeur de piano qui acquiert peu à peu une existence. Il est un artiste qui se révèle à la fin de sa vie, et tout le roman se déroule entre ses deux œuvres maîtresses : la sonate dans « Un amour de Swann » et le septuor à la fin du roman. Ce personnage apparaît tel un fantôme. Il surgit et ressuscite surtout à travers ses œuvres qui résonnent et enflamment les foules. Deux personnages y sont particulièrement sensibles : Charles Swann et le narrateur (Odette aussi, qui dit « c'est notre sonate »). La musique les révèle à eux-mêmes. Elle a un pouvoir magique qui est celui de les rendre heureux. Mais elle est également l'aiguillon du malheur pour Swann, qui constate amèrement que la musique est là mais qu'Odette est absente, laissant dans cet entre-deux la place à la jalousie.

Ainsi, Proust ne fait pas de théorie de la musique, ni même de théorie des arts. Pour lui, la force de la musique réside dans une émotion qui se passe des mots. En cela, la musique est peut-être supérieure, aux yeux de l'auteur, aux autres arts, car elle peut traduire une émotion qui ne passe pas par le langage. Mais cette émotion née de la musique, il faut aussi des « phrases », longues ou petites, pour que le lecteur puisse l'entendre.

Le narrateur et Charles Swann sont exaltés par les compositions de Vinteuil. Swann tout particulièrement qui découvre un soir, dans le salon des Verdurin, la petite sonate.

« D'abord, il n'avait goûté que la qualité matérielle des sons sécrétés par les instruments. Et ç'avait déjà été un grand plaisir quand, au-dessous de la petite ligne du violon, mince, résistante, dense et directrice, il avait vu tout d'un coup chercher à s'élever en un clapotement liquide, la masse de la partie de piano, multiforme, indivise, plane et entrechoquée comme la mauve agitation des flots que charme et bémolise le clair de lune. Mais à un moment donné, sans pouvoir nettement distinguer un contour, donner un nom à ce qui lui plaisait, charmé tout d'un coup, il avait cherché à recueillir la phrase ou l'harmonie – il ne savait lui-même – qui passait et qui lui avait ouvert plus largement l'âme, comme certaines odeurs de roses circulant dans l'air humide du soir ont la propriété de dilater nos narines. Peut-être est-ce parce qu'il ne savait pas la musique qu'il avait pu éprouver une impression aussi confuse, une de ces impressions qui sont peut-être pourtant les seules purement musicales, inétendues, entièrement originales, irréductibles à tout autre ordre d'impressions. Une impression de ce genre, pendant un instant, est pour ainsi dire *sine materia*. Sans doute les notes que nous entendons alors, tendent déjà, selon leur hauteur et leur quantité, à couvrir devant nos yeux des surfaces de dimensions variées, à tracer des arabesques, à nous donner des sensations de largeur, de ténuité, de stabilité, de caprice.

Mais les notes sont évanouies avant que ces sensations
soient assez formées en nous pour ne pas être submer-
gées par celles qu'éveillent déjà les notes suivantes ou
même simultanées. Et cette impression continuerait à
envelopper de sa liquidité et de son "fondu" les motifs
qui par instants en émergent, à peine discernables,
pour plonger aussitôt et disparaître, connus seulement
par le plaisir particulier qu'ils donnent, impossibles
à décrire, à se rappeler, à nommer, ineffables – si la
mémoire, comme un ouvrier qui travaille à établir des
fondations durables au milieu des flots, en fabriquant
pour nous des fac-similés de ces phrases fugitives, ne
nous permettait de les comparer à celles qui leur suc-
cèdent et de les différencier. Ainsi à peine la sensation
délicieuse que Swann avait ressentie était-elle expirée,
que sa mémoire lui en avait fourni séance tenante une
transcription sommaire et provisoire, mais sur laquelle
il avait jeté les yeux tandis que le morceau continuait,
si bien que, quand la même impression était tout d'un
coup revenue, elle n'était déjà plus insaisissable. Il s'en
représentait l'étendue, les groupements symétriques,
la graphie, la valeur expressive ; il avait devant lui cette
chose qui n'est plus de la musique pure, qui est du des-
sin, de l'architecture, de la pensée, et qui permet de se
rappeler la musique. Cette fois il avait distingué nettement une phrase s'élevant pendant quelques instants
au-dessus des ondes sonores. Elle lui avait proposé aussitôt des voluptés particulières, dont il n'avait jamais
eu l'idée avant de l'entendre, dont il sentait que rien
autre qu'elle ne pourrait les lui faire connaître, et il avait
éprouvé pour elle comme un amour inconnu[1]. »

---

1. *Ibid.*, p. 172-173.

3

La peinture

« Si un peu de rêve est dangereux, ce qui
en guérit ce n'est pas moins de rêve, mais
plus de rêve. »

(*À l'ombre des jeunes filles en fleurs.*)

*La parole du peintre Elstir résonne dans son atelier des
hauteurs de Balbec, un lieu où s'entassent des dizaines
de tableaux que le narrateur examine avec enthousiasme.
L'artiste s'appelait jadis M. Biche, lorsqu'il était encore
le favori du clan des Verdurin, convive moqué et auteur
de plaisanteries sans intérêt. Mais il s'est peu à peu éloigné du grand monde pour se consacrer entièrement à son
œuvre – l'une de celles qui bouleversent le jeune héros de
la* Recherche *et qui permettent à Marcel Proust, très sou-
cieux du renouveau artistique de son époque, de bâtir sa
réflexion sur l'art pictural.*

* * *

La peinture est une sorte de vocation de jeunesse
pour Proust. Quand il se décide à choisir un métier,
il imagine faire carrière dans l'administration des
Beaux-Arts, et il écrit même qu'il se rêve bien directeur du musée de Versailles. Courant les expositions

– il va au Louvre pour admirer la tiare de Saïtapharnès –, il effectue aussi de nombreux voyages : Amsterdam en 1898, la Belgique et la Hollande en 1902. Il va également à Venise pour voir Carpaccio, et à Padoue pour Giotto. Plus tard, il se rend sans doute dans l'atelier de Picasso, intrigué par le mouvement cubiste. Tout ce qu'il a aimé dans les livres et tout ce qui étonne ses contemporains, il veut le voir de ses propres yeux.

Un jour d'avril 1921, l'historien de l'art Jean-Louis Vaudoyer est le témoin direct d'un épisode célèbre relaté dans le journal *L'Opinion* par Proust lui-même : « Depuis que j'ai vu au musée de La Haye la *Vue de Delft*, j'ai su que j'avais vu le plus beau tableau du monde. » Ce tableau de Vermeer, quintessence de la peinture hollandaise, Proust a envie de le revoir. Il demande à Vaudoyer, alors qu'il semble déjà enfermé au royaume des morts, cloîtré chez lui depuis des mois, de l'accompagner au musée. Et Proust admire une dernière fois, un an avant sa mort, le tableau de Vermeer.

Sur celui-ci, on voit d'abord la ville, le sable au premier plan, et quelques personnages. Mais quand on a lu Proust, on y cherche immédiatement le fameux petit pan de mur jaune, celui qui fait s'effondrer Bergotte – l'écrivain dans le roman – après qu'il a murmuré « Petit pan de mur jaune, c'est ainsi que j'aurais dû écrire ». Le tableau, cette perfection en peinture qui est celle de Vermeer, lui donne l'image de ce qu'aurait dû être son style, et qui se cristallise en un point du tableau : ce petit pan de mur jaune, parfaitement bien peint, précieux comme une laque de l'Extrême-Orient. Or, ce détail qui est au cœur de la page, et qui sans doute a ému Proust, ne se trouve pas dans le tableau. Il y a peut-être un toit, à droite sur la toile, qui semble un peu doré. Le souvenir, une fois de plus, a opéré son travail de métamorphose, puisque ce qu'écrit Proust ne correspond pas à ce que nous voyons, image parfaite de la tension entre littérature et peinture chez le romancier. Cette tension est déjà présente dans le personnage même de Bergotte : peintre dans *Jean Santeuil* – premier essai romanesque de Proust –, il devient écrivain dans *À la recherche du temps perdu*.

Dans le roman, le génie pictural s'incarne sous les traits d'Elstir. C'est l'un des vrais héros du livre car toute son aventure est liée d'abord à l'amour de Swann pour Odette, et ensuite à l'amour du narrateur pour Albertine. Le personnage du peintre se transforme, mais, à chacun de ses avatars, il est question d'amour. En outre, il faut se garder de chercher des clés, et d'essayer de savoir qui lui a servi de modèle : un peu Whistler, un peu Helleu, un peu Monet aussi. Dans son atelier, le narrateur découvre une métaphore de l'écriture. Sous ses yeux, les lignes se confondent, la mer devient la terre, et inversement, puis la neige se superpose à l'écume des vagues, et c'est un champ de neige sur lequel il y a comme un navire... En regardant ses toiles, le narrateur parle d'« illusion d'optique ».

L'atelier d'Elstir est pour lui le laboratoire d'une nouvelle création du monde.

Le narrateur rencontre Elstir à Rivebelle, avec son ami Robert de Saint-Loup. Il lui rend visite plus tard dans son atelier à Balbec, au milieu de ses multiples toiles, et son regard s'attarde sur une marine.

« Dans le premier plan de la plage, le peintre avait su habituer les yeux à ne pas reconnaître de frontière fixe, de démarcation absolue, entre la terre et l'océan. Des hommes qui poussaient des bateaux à la mer couraient aussi bien dans les flots que sur le sable, lequel, mouillé, réfléchissait déjà les coques comme s'il avait été de l'eau. La mer elle-même ne montait pas régulièrement, mais suivait les accidents de la grève, que la perspective déchiquetait encore davantage, si bien qu'un navire en pleine mer, à demi caché par les ouvrages avancés de l'arsenal, semblait voguer au milieu de la ville ; des femmes qui ramassaient des crevettes dans les rochers, avaient l'air, parce qu'elles étaient entourées d'eau et à cause de la dépression qui, après la barrière circulaire des roches, abaissait la plage (des deux côtés les plus rapprochés des terres) au niveau de la mer, d'être dans une grotte marine surplombée de barques et de vagues, ouverte et protégée au milieu des flots écartés miraculeusement. Si tout le tableau donnait cette impression des ports où la mer entre dans la terre, où la terre est déjà marine et la population amphibie, la force de l'élément marin éclatait partout ; et près des rochers, à l'entrée de la jetée, où la mer était agitée, on sentait, aux efforts des matelots et à l'obliquité des barques couchées à angle aigu devant la calme verticalité de l'entrepôt, de l'église, des maisons de la ville, où les uns rentraient, d'où les autres partaient pour la pêche, qu'ils trottaient rudement sur l'eau comme sur un animal fougueux et rapide dont les soubresauts, sans leur adresse, les eussent jetés à terre. Une bande de promeneurs sortait gaiement en une barque secouée comme une carriole ; un matelot joyeux, mais attentif aussi la gouvernait comme avec des guides, menait la voile fougueuse, chacun se tenait bien à sa place pour ne pas faire trop de poids d'un côté et ne pas verser, et on courait ainsi par les champs ensoleillés, dans les sites ombreux, dégringolant les pentes. C'était une belle matinée malgré l'orage qu'il avait fait. Et même on sentait encore les puissantes actions qu'avait à neutraliser le bel équilibre des barques immobiles, jouissant du soleil et de la fraîcheur, dans les parties où la mer était si calme que les reflets avaient presque plus de solidité et de réalité que les coques vaporisées par un effet de soleil et que la perspective faisait s'enjamber les unes les autres. Ou plutôt on n'aurait pas dit d'autres parties de la mer. Car entre ces parties, il y avait autant de différence qu'entre l'une d'elles et l'église sortant des eaux, et les bateaux derrière la ville. L'intelligence faisait ensuite un même élément de ce qui était, ici noir dans un effet d'orage, plus loin tout d'une couleur avec le ciel et aussi verni que lui, et là si blanc de soleil, de brume et d'écume, si compact, si terrien, si circonvenu de maisons, qu'on pensait à quelque chaussée de pierres ou à un champ de neige, sur lequel on était effrayé de voir un navire s'élever en pente raide et à sec comme une voiture qui s'ébroue en sortant d'un gué, mais qu'au bout d'un moment, en y voyant sur l'étendue haute et inégale du plateau solide des bateaux titubants, on comprenait, identique en tous ces aspects divers, être encore la mer[1]. »

---

1. *Ibid.,* p. 657-658.

4

L'écriture

« Le grand écrivain est comme la graine qui nourrit les autres de ce qui la nourrit d'abord elle-même. »

(Lettre à André Gide.)

Marcel Proust n'est pas rancunier. Dans une lettre adressée à André Gide, qui avait refusé sans presque l'ouvrir le manuscrit de Du côté de chez Swann *envoyé aux éditions Gallimard, il salue en lui le grand écrivain, cet homme de lettres qui parvient mieux que personne à nourrir les peuples et à insuffler la vie dans l'esprit des hommes. Le narrateur d'*À la recherche du temps perdu *a ce même projet, celui d'écrire un livre dans lequel le lecteur pourrait se reconnaître et se comprendre. Mais le trajet est long et les périodes de découragement sont tenaces pour le héros que le doute n'épargne pas. Heureusement il côtoie l'écrivain Bergotte qui va, un temps, lui servir de modèle.*

* * *

C'est dans le salon de Mme Armand de Caillavet, la compagne et l'égérie d'Anatole France, vers 1890, que le jeune Marcel Proust a probablement rencontré Anatole France pour la première fois. À cette époque, il est la figure par excellence de l'écrivain national et officiel, de l'écrivain à succès aussi. Il a été, en 1896, le préfacier du premier livre que Marcel Proust a publié, *Les Plaisirs et les Jours*. D'où un attachement de Proust à cette personnalité littéraire, qui lui a permis de construire l'un des personnages principaux de son roman, le grand écrivain, Bergotte. Il y a aussi sans doute en lui un peu d'Alphonse Daudet, un peu de Paul Bourget et un peu de Maurice Barrès.

Bergotte meurt devant une peinture, devant ce petit pan de mur jaune peint par Vermeer, en disant : « C'est ainsi que j'aurais dû écrire. » Aux yeux de Proust, l'écriture et la peinture sont parfaitement indissociables : « L'écrivain original et le peintre original procèdent à la façon des oculistes », le regard étant au centre de toute démarche artistique. Et Proust est à la fois au télescope et au microscope. Il est comme Balzac : il aime aller chez les gens et traduire la manière dont ils ont décoré leur maison, leurs appartements. Paradoxalement, il n'est pas du tout collectionneur. Il n'a rien chez lui, juste son lit très rudimentaire, et un portrait de son père. Il faut aller voir sa chambre, telle qu'elle a été reconstituée au musée Carnavalet pour comprendre, qu'à la différence de son ami Robert de Montesquiou, il n'accorde aucune importance aux meubles. Mais il observe le boudoir d'Odette de Crécy, rue La Pérouse, le style japonisant de la cocotte fin-de-siècle, Mme Verdurin, qui s'entiche de modern style ou Robert de Saint-Loup qui vend tout le mobilier de sa famille, le mobilier des Guermantes, pour s'acheter un mobilier, là encore, modern style...

Bergotte meurt donc devant un tableau de Vermeer. Peut-être faut-il que le grand modèle « à la Anatole France » trépasse pour que puisse émerger le nouvel écrivain. Il lui faut montrer un Bergotte terrassé, et deux coupables : une indigestion de pommes de terre trop cuites, et un chef-d'œuvre de Vermeer. Bergotte meurt, le livre à venir peut s'ouvrir.

Proust, d'une certaine manière, se rêve peut-être en écrivain national, comme l'a été Hugo. Il l'est devenu aujourd'hui. Cette ambition se trahit aussi dans l'idée de faire une cathédrale, comme Claude Monet – en train de devenir le plus grand peintre français – invente sa série des cathédrales de Rouen. Cette idée de la cathédrale qui transforme l'écrivain en humble artisan bâtisseur est cruciale. Il en parle dans une lettre incroyable envoyée au comte Jean de Gaigneron, peintre, collectionneur, et homme du monde :

« Quand vous me parlez de cathédrales, je ne peux pas ne pas être ému d'une intuition qui vous permet de deviner ce que je n'ai jamais dit à personne, et que j'écris ici pour la première fois, c'est que j'avais voulu donner à chaque partie de mon livre le titre "Porche I", "Vitraux de l'abside", etc. Pour répondre d'avance à la critique stupide qu'on me fait du manque de construction dans des livres où je vous montrerai que le seul mérite est dans la solidité des moindres parties. J'ai renoncé tout de suite à ces titres d'architecture parce que je les trouvais trop prétentieux. Mais je suis touché que vous les retrouviez, par une sorte de divination de l'intelligence[1]. »

Proust révèle ainsi, à ce quasi-inconnu, la clé de son livre, et répond également à tous ceux qui ont dit qu'il était mal « organisé ». Il préfère les intermittences du cœur à l'intelligence, celle qui irait avec le monument d'architecture trop construit. Le monument, selon John Ruskin, doit avoir une patine, cette beauté du temps nimbant les pierres. Il faut un effacement de la structure, pour que cette architecture très solide, on ne l'aperçoive pas au premier regard. L'intelligence permet de tracer le plan et les fondations. Mais comme l'intelligence de Proust est une intelligence supérieure, il efface à moitié ses plans, pour qu'on n'en devine rien, parce que la beauté doit s'imposer en premier. Et ça, c'est tout le prodige du chef-d'œuvre.

Dans *Le Temps retrouvé*, le narrateur prend, enfin, la décision d'écrire.

« Enfin cette idée du Temps avait un dernier prix pour moi, elle était un aiguillon, elle me disait qu'il était temps de commencer, si je voulais atteindre ce que j'avais quelquefois senti au cours de ma vie, dans de brefs éclairs, du côté de Guermantes, dans mes pro-

---

1. Lettre de Marcel Proust datée du 1er août 1919.

menades en voiture avec Mme de Villeparisis, et qui m'avait fait considérer la vie comme digne d'être vécue. Combien me le semblait-elle davantage, maintenant qu'elle me semblait pouvoir être éclaircie, elle qu'on vit dans les ténèbres, ramenée au vrai de ce qu'elle était, elle qu'on fausse sans cesse, en somme réalisée dans un livre ! Que celui qui pourrait écrire un tel livre serait heureux, pensais-je, quel labeur devant lui ! Pour en donner une idée, c'est aux arts les plus élevés et les plus différents qu'il faudrait emprunter des comparaisons ; car cet écrivain, qui d'ailleurs pour chaque caractère en ferait apparaître les faces opposées, pour montrer son volume, devrait préparer son livre, minutieusement, avec de perpétuels regroupements de forces, comme une offensive, le supporter comme une fatigue, l'accepter comme une règle, le construire comme une église, le suivre comme un régime, le vaincre comme un obstacle, le conquérir comme une amitié, le suralimenter comme un enfant, le créer comme un monde sans laisser de côté ces mystères qui n'ont probablement leur explication que dans d'autres mondes et dont le pressentiment est ce qui nous émeut le plus dans la vie et dans l'art. Et dans ces grands livres-là, il y a des parties qui n'ont eu le temps que d'être esquissées, et qui ne seront sans doute jamais finies, à cause de l'ampleur même du plan de l'architecte. Combien de grandes cathédrales restent inachevées ! On le nourrit, on fortifie ses parties faibles, on le préserve, mais ensuite c'est lui qui grandit, qui désigne notre tombe, la protège contre les rumeurs et quelque temps contre l'oubli[1]. »

---

1. *Ibid.*, p. 2389.

5

La lecture

« La lecture est une amitié. »

(*Sur la lecture.*)

Ce n'est pas vraiment dans ses habitudes mais, pour une fois, Marcel Proust fait court, et dit l'essentiel en cinq mots. Le livre à ses yeux n'est pas seulement un objet, un titre non plus, ou une histoire. Il est aussi un ami qui pourra peut-être nous émouvoir et nous ouvrir des portes… Ainsi, la lecture apparaît comme l'art ultime prôné par le narrateur dans la Recherche. *Un art qui fonde également son œuvre à venir car, sans les livres qu'il a lus, il n'aurait pu être écrivain.*

* * *

« L'art offre à l'homme ce que le monde lui refuse, l'union du sentiment et de la durée. Ou si vous voulez, l'union de la passion et de la durée. » André Maurois évoque ici les lectures de la petite enfance… On pense à celle du narrateur bien sûr, les livres donnés par la grand-mère ou par la mère, *François le Champi*, les *Récits des temps mérovingiens* d'Augustin Thierry. Ce sont les pierres de fondation de la cathédrale. Par la suite, dans le roman, la lecture est constamment pratiquée comme un art. L'amour du narrateur pour Albertine passe aussi par des lectures. Il lui donne des livres, il parle avec elle du style des écrivains, d'où ces pages extraordinaires, les leçons de littérature données à Albertine. Proust a aimé aussi les livres des autres. Tous les écrivains ne sont pas capables d'aimer les livres des autres. Il a préfacé le livre de son ami Jacques-Émile Blanche à propos de peintres. Il a préfacé *Tendres stocks*, le premier Paul Morand. Il a cette générosité de lecteur, qui apparaît dans ses pastiches : il est capable d'entrer dans le style de ceux qu'il admire – et dont il se moque aussi.

Le monde réel est fait de livres lus, autant que de peintures aimées. Proust nous donne quelques recettes, qu'on peut pratiquer nous-mêmes, pour voir des pages de livres dans le monde réel, pour reconnaître des visages vus dans les musées dans ceux que nous croisons. L'amour de Swann pour Odette passe par l'identification de la jeune femme à une fresque de Botticelli, un détail d'une peinture murale de la chapelle Sixtine, *Les Filles de Jéthro*. Swann aime Odette, mais il l'aime à travers une ressemblance avec une œuvre d'art. Le personnage de Bloch ressemble au portrait de Mahomet II par Bellini. Les domestiques à la soirée de Mme de Saint-Euverte ressemblent à des personnages peints par Mantegna, et c'est le Louvre qui s'invite à la soirée. Et la fille de cuisine à Combray qui, enceinte, ressemble à *L'Allégorie de la Charité* peinte par Giotto à Padoue.

Il y a aussi ce portrait de Guirlandaio au Louvre, ce personnage de grand-père avec un nez totalement boursouflé qui tient son petit-fils à côté de lui. Un des personnages dit : «Vous ne trouvez pas qu'il ressemble à Monsieur du Lau ? » Cela, on peut y jouer dans la vie réelle, appliquer la technique proustienne et reconnaître les tableaux qu'on aime dans les gens qu'on croise dans le métro. On peut être proustien, non seulement dans ses lectures ou dans ce qu'on a envie d'écrire, mais aussi dans sa vie.

Savoir que Marcel Proust deviendrait le grand « classique » de la littérature française, LE grand écrivain français, aurait surpris tout le monde au lendemain de son enterrement. Il a eu une ambition, conquérir la première place, en réalité il aurait peut-être été surpris d'y être arrivé.

Et le lecteur ? Il est finalement la seule figure qui n'a pas de personnage dans *À la recherche du temps perdu*. Le narrateur souhaite que ses lecteurs soient les propres lecteurs d'eux-mêmes, à la fin. Voilà pourquoi des lecteurs très divers ont l'impression que Marcel Proust a écrit son livre uniquement pour eux. On peut ne pas s'intéresser du tout aux salons du tournant de 1900, ne rien vouloir savoir du milieu des Guermantes ou du monde des Verdurin et comprendre qu'il y a un Proust à l'intérieur de nous-mêmes – et qu'il nous décrit.

À la toute fin du roman, le futur romancier réfléchit non seulement à son livre, mais aussi et surtout à ceux qui le liront.

« Mais pour en revenir à moi-même, je pensais plus modestement à mon livre, et ce serait même inexact que de dire en pensant à ceux qui le liraient, à mes lecteurs. Car ils ne seraient pas, selon moi, mes lecteurs, mais les propres lecteurs d'eux-mêmes, mon livre n'étant qu'une sorte de ces verres grossissants comme ceux que tendait à un acheteur l'opticien de Combray ; mon livre, grâce auquel je leur fournirais le moyen de lire en eux-mêmes. De sorte que je ne leur demanderais pas de me louer ou de me dénigrer, mais seulement de me dire si c'est bien cela, si les mots qu'ils lisent en eux-mêmes sont bien ceux que j'ai écrits [...] [1]. »

---

1. *Ibid.*, p. 2389-2390.

Les auteurs

Antoine Compagnon

Écrivain, professeur au Collège de France et à Columbia University, et historien de la littérature, Antoine Compagnon est l'auteur, entre autres, d'*Un été avec Montaigne* (Équateurs), du roman *La Classe de rhéto* (Gallimard), et de plusieurs livres sur l'œuvre de Marcel Proust, parmi lesquels *Proust entre deux siècles* (Seuil). Il a également dirigé les éditions de *Du côté de chez Swann* (« Folio ») et *Sodome et Gomorrhe* (« Folio » et « Pléiade ») chez Gallimard.

Jean-Yves Tadié

Professeur émérite à la Sorbonne, directeur de la collection « Folio classique » et « Folio théâtre » chez Gallimard, Jean-Yves Tadié a dirigé l'édition d'*À la recherche du temps perdu* dans la bibliothèque de la Pléiade, mais aussi dans les collections « Folio » et « Quarto ». Il est notamment l'auteur d'une biographie de référence sur l'écrivain, *Marcel Proust, biographie*, et aussi de *Proust et le roman*, et dernièrement de l'ouvrage *Le Lac inconnu, entre Proust et Freud*, tous parus chez Gallimard.

Jérôme Prieur

Jérôme Prieur est écrivain, essayiste et cinéaste. Après avoir dirigé pour l'INA la collection de portraits d'écri-

vains *Les Hommes-Livres*, il a consacré à Marcel Proust un
essai filmé (*Proust vivant*) et les ouvrages *Petit tombeau de
Marcel Proust* (La Pionnière) et *Proust fantôme* (Gallimard)
qui a reçu le Prix Céleste 2001. En 2012, il publie *Marcel
avant Proust* suivi de Marcel Proust, *Le Mensuel retrouvé*
aux Éditions des Busclats.

Nicolas Grimaldi

Philosophe, professeur émérite à la Sorbonne, Nicolas
Grimaldi est l'auteur d'une trentaine d'ouvrages dont le
récent *Les Théorèmes du moi* (Grasset). S'intéressant aux
notions d'imagination, de temps, ou encore de désir, il
a écrit deux études de référence sur l'œuvre de Proust :
Essai sur la jalousie, l'enfer proustien, et *Proust, les horreurs de
l'amour*, publiés aux PUF.

Julia Kristeva

Julia Kristeva est écrivain, professeur émérite à l'université de Paris-VII, et psychanalyste. Auteur de nombreux
romans et essais, elle s'est notamment intéressée aux liens
entre l'écriture et l'expérience amoureuse (*Histoires d'amour*,
Denoël), la dépression (*Soleil noir, Dépression et mélancolie*, Gallimard) ou l'horreur (*Pouvoir de l'horreur, Essai sur
l'abjection*, Éd. du Seuil), ainsi que sur la singularité de l'écriture féminine à travers les œuvres de Hannah Arendt, Melanie
Klein et Colette (Fayard). Auteur du récent *Pulsions du temps*
(Fayard), elle a développé ses réflexions autour de l'imaginaire
dans la *Recherche* avec son livre *Le Temps sensible, Proust et
l'expérience littéraire* (Gallimard).

Michel Erman

Écrivain, philosophe et professeur à l'université de
Bourgogne, Michel Erman est l'auteur de deux essais

consacrés aux notions de vengeance et de cruauté. Spécialiste de l'œuvre de Marcel Proust, il a écrit une biographie remarquée, *Marcel Proust*, un *Bottin proustien* autour des personnages et un *Bottin des lieux proustiens*, tous parus aux Éditions de La Table ronde. Son dernier ouvrage en date s'intitule *Les 100 mots de Proust* (PUF).

Raphaël Enthoven

Raphaël Enthoven est écrivain, professeur de philosophie et producteur d'émissions sur France Culture (« Le Gai Savoir ») et Arte (« Philosophie » et « Imaginez »). Auteur du *Philosophe de service et autres textes* ou encore de *Matière première* (Gallimard), ses travaux portent, entre autres, sur les notions de mélancolie et d'absurde. Il a également signé *Lectures de Proust* (Fayard) et un *Dictionnaire amoureux de Proust* (Plon), coécrit avec son père Jean-Paul Enthoven.

Adrien Goetz

Écrivain, historien de l'art spécialiste du XIXᵉ siècle et professeur à la Sorbonne (Paris IV), Adrien Goetz a publié de nombreux romans tels que *Le Coiffeur de Chateaubriand* et la série des « Enquêtes de Pénélope », dont le dernier volume, *Intrigue à Giverny* a paru récemment chez Grasset. Il a dirigé le catalogue de l'exposition *Femmes peintres et salons au temps de Proust, de Madeleine Lemaire à Berthe Morisot* (Hazan) et a participé à l'ouvrage collectif dirigé par Jean-Yves Tadié, *Proust et ses amis* (Gallimard).

Laura El Makki

Diplômée d'un master de littérature française à la Sorbonne (Paris-IV), Laura El Makki écrit pour *Le Magazine littéraire* avant d'entrer à France Inter en 2009. Depuis cinq

ans, elle collabore à l'émission de Guillaume Gallienne
(« Ça peut pas faire de mal »), écrit des fictions radiopho-
niques et produit des émissions littéraires estivales dont la
série « Un été avec Proust », diffusée en 2013.

Achevé d'imprimer
par l'Imprimerie Floch
à Mayenne
en août 2017.
Dépôt légal : mai 2014.
Numéro d'imprimeur : 91430.

ISBN 978-2-84990-298-1. / Imprimé en France.